초등 수 ... 완성

교과특강

초4

D3

수와 식 배열 규칙

에듀히어로
Edu HERO

"진짜 히어로는 우리 아이들입니다!"

에듀히어로는
우리 아이들이 밝고 건강한 내일을 꿈꿀 수 있도록
긍정적이고 효과적인 교육 서비스를 제공하는 것을
최우선 목표로 하고 있습니다.

그 존재만으로도 든든한 히어로처럼 아이들의 곁에서 힘이 되어주고,
나아가 아이들 각자가 스스로의 인생 속 히어로가 될 수 있도록

우리는 진심과 열정을 다해 아이들과 함께 할 것을 약속 드립니다.

네이버 카페

교재 상세 소개와 진단 테스트
및 유용하게 풀 수 있는
학습 자료를 다운로드 해 보세요.

인스타그램

에듀히어로 인스타그램을
팔로우하시면 다양한 이벤트와
신간 소식을 빠르게 만나보실
수 있습니다.

카카오톡 채널

자녀 수학 공부 상담 및
자유로운 질문을 남겨 주세요.
함께 고민하고
답변해 드리겠습니다.

히어로컨텐츠 HEROCONTENS

발행일: 2023년 2월 **발행인**: 이예찬
기획개발: 두줄수학연구소
디자인: 4BD STUDIO **삽화**: 1000DAY
발행처: 히어로컨텐츠
주소: 서울특별시 금천구 서부샛길 632, 7층(대륭테크노타운5차)
전화: 02-862-2220 **팩스**: 02-862-2227
지원카페: cafe.naver.com/eduherocafe **인스타그램**: @edu__hero **카카오톡**: 에듀히어로

초등 수학 핵심파트 집중 완성 교과특강

수학을 잘 하기 위해서는 1) 수와 연산 2) 도형 3) 측정 4) 규칙성 5) 자료와 가능성 등 초등 수학 5대 학습 영역을 고르게 학습해야 합니다.

다른 교과 과목에 비해 많은 시간을 수학을 학습하는 데 할애하고 있지만 아쉽게도 대부분은 연산 영역에 편중되어 있습니다.

최근 들어 '도형' 등 연산 이외의 다른 영역으로 학습을 확장하는 교재들이 출간되고 있지만 여전히 학년별로 다양한 학습 영역과 필수 주제를 체계적으로 안내해 주는 학습지는 많지 않은 것이 현실입니다.

그런 이유로 교과특강은 학년별 필수 주제를 기본 개념부터 응용, 사고력까지 충분하게 학습하고 훈련할 수 있도록 개발되었습니다

수학을 잘 하고 싶은 학생들에게 노력한 만큼의 성장을 이루어내는 데 교과특강은 좋은 토양과 밑거름이 되어줄 것입니다.

초등 수학 핵심파트 집중 완성 교과특강은

1. '자료 해석 능력'을 집중적으로 키웁니다.

앞으로의 학습은 주어진 표와 그래프를 보고 그 의미를 해석하고 추론하는 '자료 해석 능력'을 요구합니다. 실제로 초등 전학년 뿐만 아니라 중등 과정에서도 '자료 해석'은 학습자의 문제해결력을 확인하는 중요한 소재가 되고 있습니다. 다양한 표와 그래프를 이해하고 해석하는 학습은 초등 과정부터 미리 준비하고 집중적으로 훈련할 필요가 있습니다.

2. '측정', '규칙성' 등 필수 영역임에도 쉽게 지나칠 수 있는 주제를 체계적으로 학습합니다.

길이, 무게, 시간, 어림하기 등 초등 과정에서 쉽게 지나치기 쉬운 '측정'과 추론 능력을 길러주는 '규칙성'을 집중적으로 학습합니다.

3. 복습과 예습으로 학년과 학년 사이의 징검다리 역할을 합니다.

1학년에서 2학년, 2학년에서 3학년, 3학년에서 4학년 등 학년이 올라갈수록 특정 영역에서 수학이 갑자기 어려워지는 순간이 옵니다. 교과특강은 각 학년에서 반드시 짚고 넘어가야 하는 주제를 복습하면서 다음 학년을 위한 예습까지 할 수 있도록 개발되었습니다.

4. 문제해결력과 사고력을 길러줍니다.

기본적인 개념을 바탕으로 이를 응용하고 활용하는 문제해결력과 생각하는 힘을 길러줍니다.

초등 수학 핵심파트 집중 완성 교과특강은

7세부터 6학년까지 총 7단계 21권(단계별 3권)으로 구성되어 있으며 각 권은 하루에 1장씩 주 5회, 총 4주간 체계적으로 학습할 수 있습니다.
매주 5일차의 학습이 끝난 뒤엔 '생각더하기'를 통해 창의력과 사고력을 기르고, 4주의 학습이 끝난 뒤엔 '링크'와 '형성평가'로 관련 주제를 학습하고 교과 수학을 완성할 수 있습니다.

대 상	단 계	구 성
7세 ~ 1학년	P	P1, P2, P3
1학년	A	A1, A2, A3
2학년	B	B1, B2, B3
3학년	C	C1, C2, C3
4학년	D	D1, D2, D3
5학년	E	E1, E2, E3
6학년	F	F1, F2, F3

<교과 수학 시리즈 D단계 로드맵>

에듀히어로의 교과 수학 시리즈를 체계적으로 학습하기 위한 로드맵입니다.
예습을 하며 집중적으로 학습하려면 '영역별 집중 학습'을,
교과서 진도에 맞추어 학습하려면 '교과 진도 맞춤 학습'을 권장드립니다.

[영역별 집중 학습]

1월	2월	3월	4월	5월	6월
교과연산 D0, 교과도형 D1	교과연산 D1, 교과도형 D2	교과연산 D2, 교과도형 D3	교과연산 D3, 교과특강 D1	교과특강 D2	교과특강 D3

[교과 진도 맞춤 학습]

1월	2월	3월	4월	5월	6월	7월	8월	9월	10월
교과연산 D0	교과도형 D1	교과연산 D1	교과도형 D2	교과특강 D1	교과특강 D2	교과특강 D3	교과연산 D2	교과연산 D3	교과도형 D3

교과특강은 교과 수학을 완성합니다.

주제별 학습

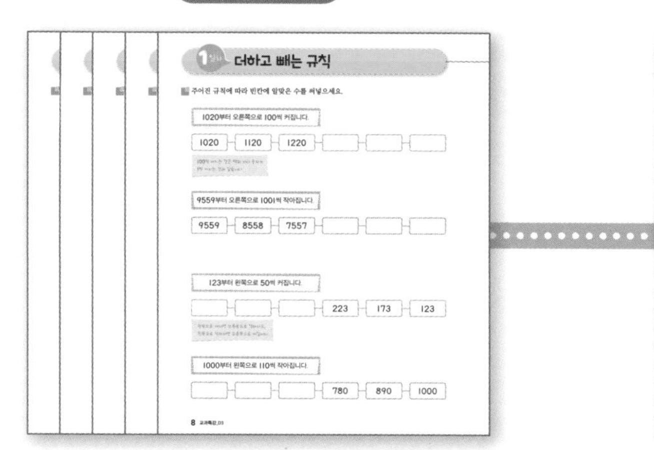

생각더하기

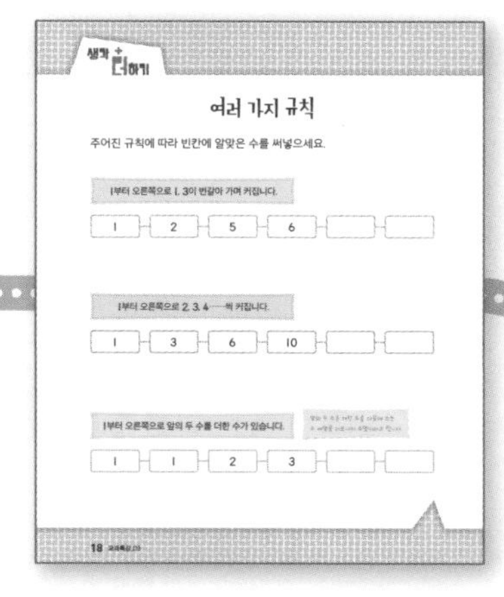

초등 수학을 주제별로 집중 학습합니다. 각 주차의 마지막에 있는 **생각더하기**로 문제해결력을 기릅니다.

링크

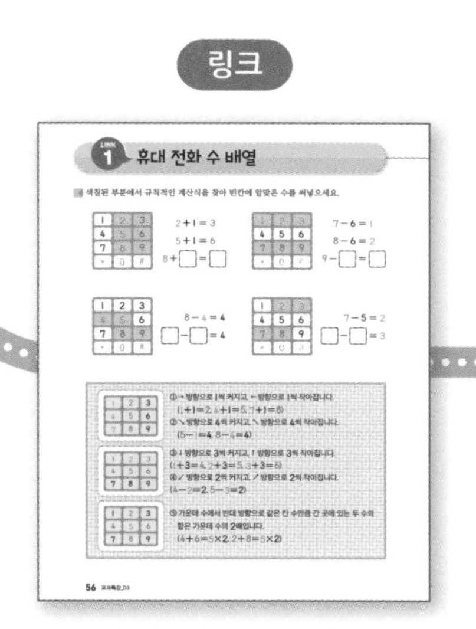

형성평가

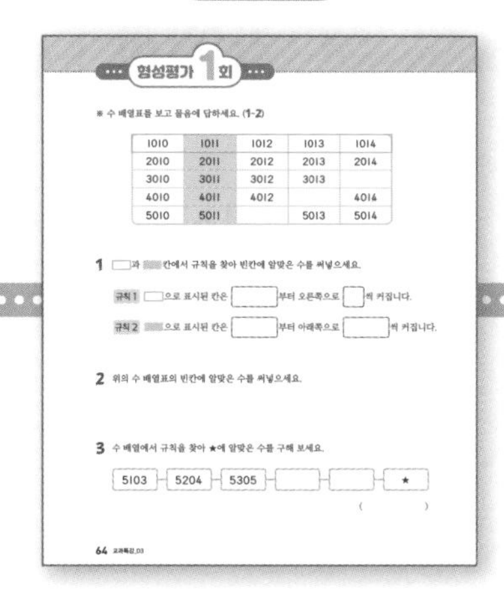

1010	1011	1012	1013	1014
2010	2011	2012	2013	2014
3010	3011	3012	3013	
4010	4011	4012		4014
5010	5011		5013	5014

주제별 학습과 연결하여 사고력과 창의력을 향상시킬 수 있는 내용을 학습합니다.

2회의 형성평가로 배운 내용을 잘 알고 있는지 확인합니다.

이 책의 차례

1 주차

수 배열 규칙

1일차 더하고 빼는 규칙

주어진 규칙에 따라 빈칸에 알맞은 수를 써넣으세요.

1020부터 오른쪽으로 100씩 커집니다.

1020	1120	1220			

100씩 커지는 것은 백의 자리 숫자가
1씩 커지는 것과 같습니다.

9559부터 오른쪽으로 1001씩 작아집니다.

9559	8558	7557			

123부터 왼쪽으로 50씩 커집니다.

			223	173	123

왼쪽으로 커지면 오른쪽으로 작아지고,
왼쪽으로 작아지면 오른쪽으로 커집니다.

1000부터 왼쪽으로 110씩 작아집니다.

			780	890	1000

월 일

수 배열에서 규칙을 찾아 빈칸에 알맞은 수를 써넣으세요.

3204	3304	3404		3604	
1012	1022		1042	1052	
190	179	168	157		
1929	2939	3949			6979
4035	3535	3035		2035	
6543	5443		3243		1043

2일차 곱하고 나누는 규칙

주어진 규칙에 따라 빈칸에 알맞은 수를 써넣으세요.

1부터 오른쪽으로 2를 곱한 수가 있습니다.

256부터 오른쪽으로 4로 나눈 몫이 있습니다.

2부터 왼쪽으로 5를 곱한 수가 있습니다.

왼쪽으로 곱하면 오른쪽으로 나누어지고,
왼쪽으로 나누면 오른쪽으로 곱해집니다.

486부터 왼쪽으로 3으로 나눈 몫이 있습니다.

월 일

수 배열에서 규칙을 찾아 빈칸에 알맞은 수를 써넣으세요.

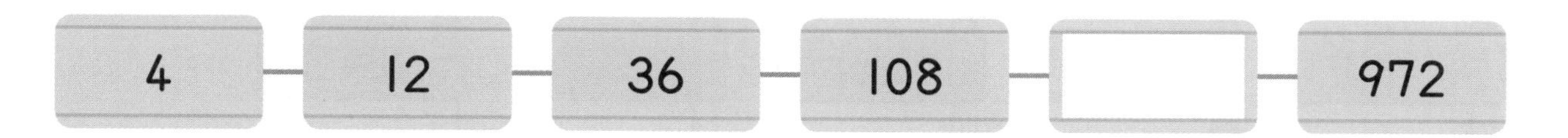

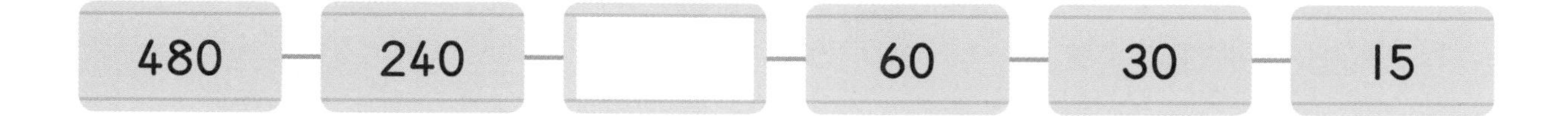

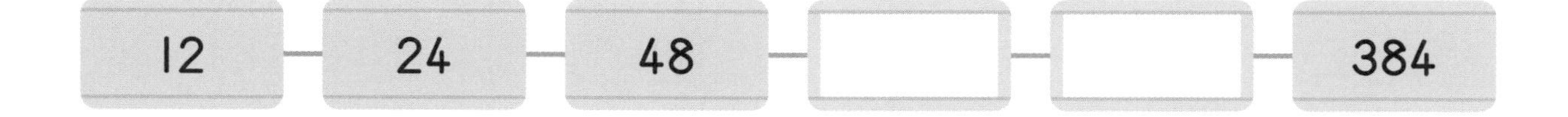

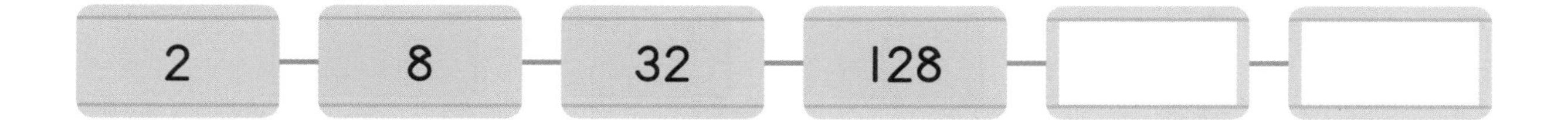

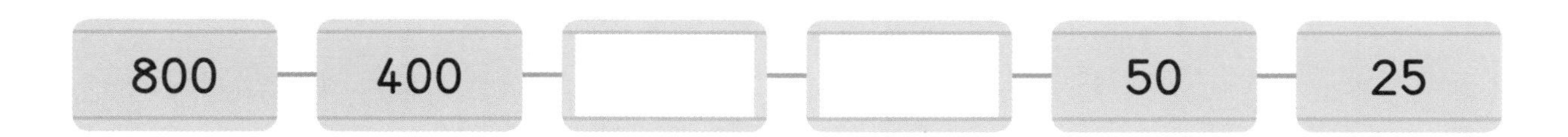

규칙 말하기

수 배열을 보고 빈칸에 알맞은 수를 써넣고 알맞은 말에 ○표 하세요.

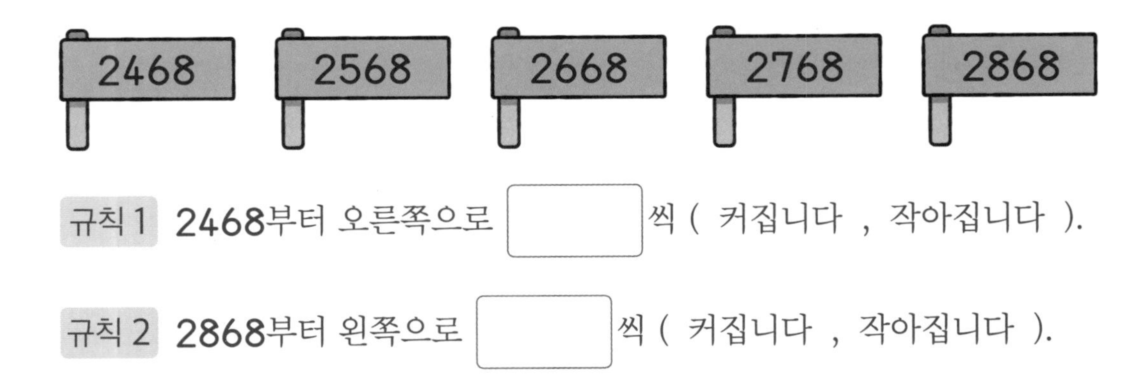

규칙 1 2468부터 오른쪽으로 ☐씩 (커집니다 , 작아집니다).

규칙 2 2868부터 왼쪽으로 ☐씩 (커집니다 , 작아집니다).

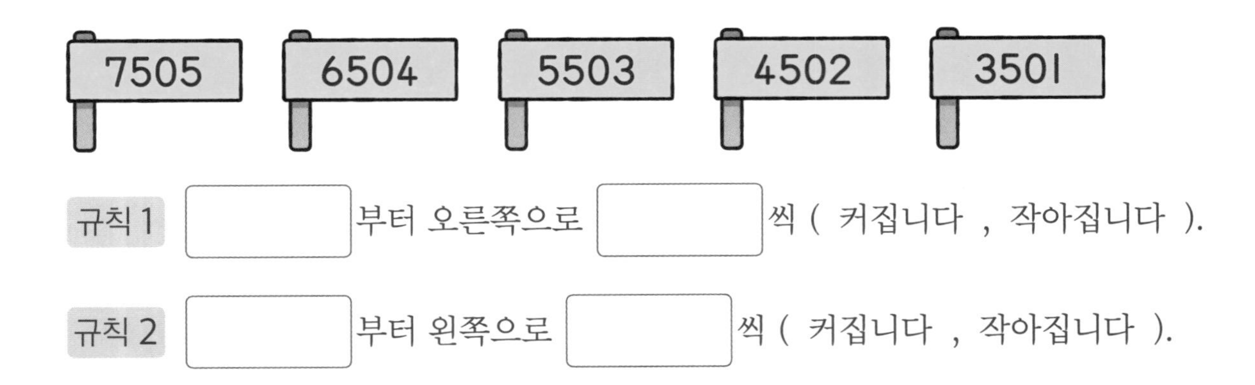

규칙 1 ☐부터 오른쪽으로 ☐씩 (커집니다 , 작아집니다).

규칙 2 ☐부터 왼쪽으로 ☐씩 (커집니다 , 작아집니다).

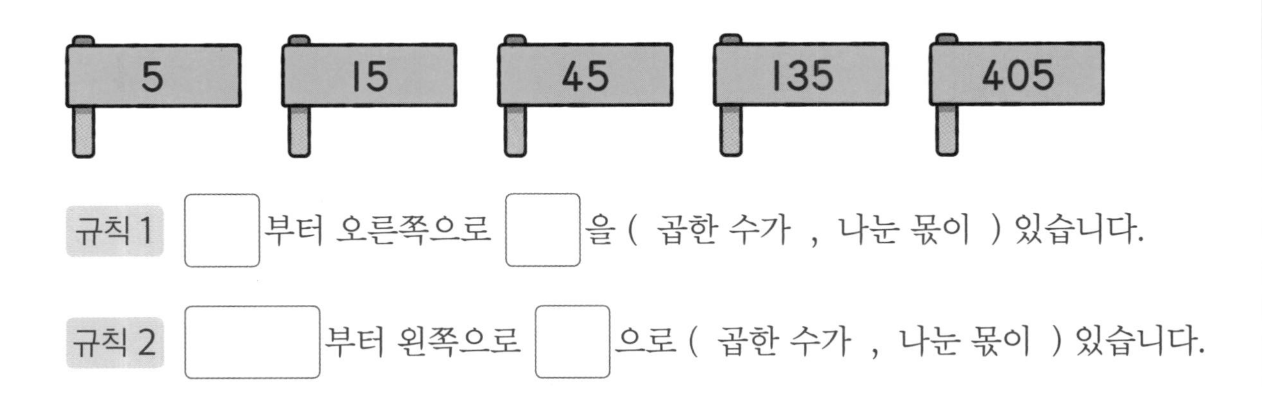

규칙 1 ☐부터 오른쪽으로 ☐을 (곱한 수가 , 나눈 몫이) 있습니다.

규칙 2 ☐부터 왼쪽으로 ☐으로 (곱한 수가 , 나눈 몫이) 있습니다.

수 배열에서 규칙 한 가지를 찾아 써 보세요.

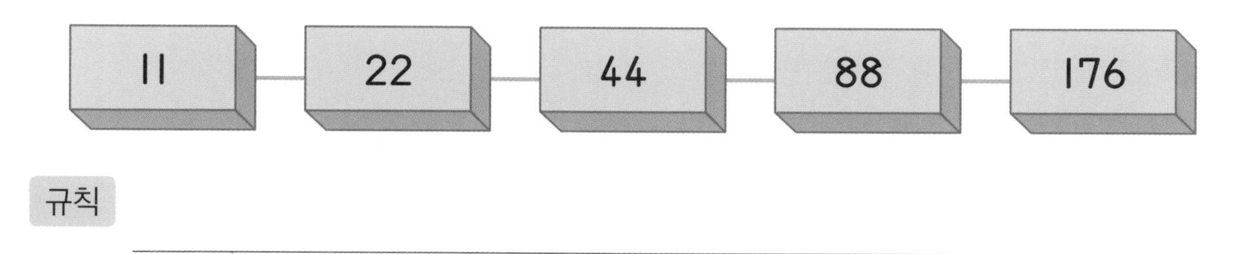

규칙

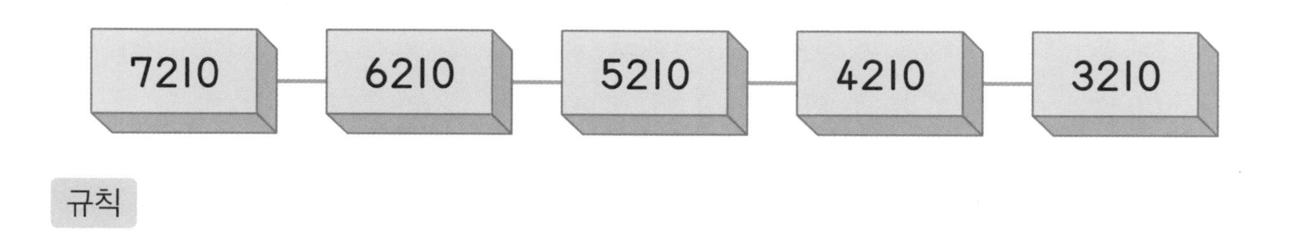

규칙

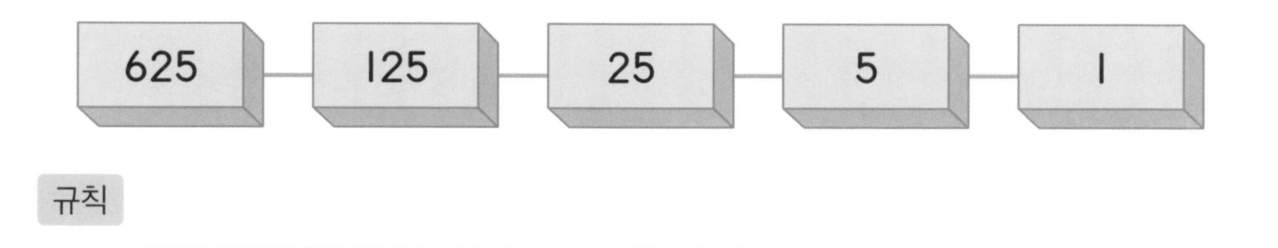

규칙

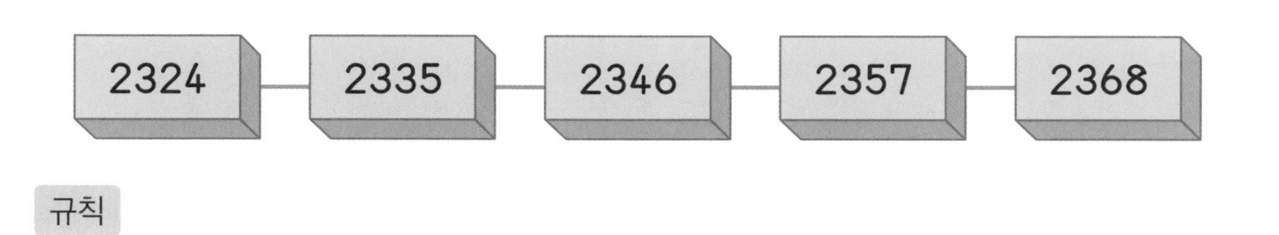

규칙

4일차 규칙 찾기

수 배열을 보고 빈칸에 알맞은 규칙의 기호를 써 보세요.

㉠ 1010부터 오른쪽으로 101씩 커집니다.
㉡ 1010부터 오른쪽으로 110씩 커집니다.
㉢ 1010부터 오른쪽으로 1001씩 커집니다.
㉣ 1010부터 오른쪽으로 1010씩 커집니다.
㉤ 1010부터 오른쪽으로 2배씩 커집니다.

1010 — 1120 — 1230 — 1340 ☐

1010 — 2020 — 4040 — 8080 ☐

1010 — 2011 — 3012 — 4013 ☐

1010 — 2020 — 3030 — 4040 ☐

1010 — 1111 — 1212 — 1313 ☐

수 배열을 보고 빈칸에 알맞은 규칙의 기호를 써넣고 수 배열을 완성해 보세요.

㉠ 2부터 오른쪽으로 2씩 커집니다.
㉡ 2부터 오른쪽으로 2배씩 커집니다.
㉢ 2부터 오른쪽으로 4씩 커집니다.
㉣ 2부터 오른쪽으로 4배씩 커집니다.
㉤ 2부터 오른쪽으로 3배씩 커집니다.

2	6	10	14		
2	4	8	16		
2	6	18	54		
2	4	6	8		
2	8	32	128		

5일차 수 구하기

물음에 답하세요.

1234부터 오른쪽으로 100씩 커지도록 수를 씁니다. ★에 알맞은 수는 무엇일까요?

(　　　　　　　)

8907부터 오른쪽으로 1001씩 작아지도록 수를 씁니다. ㉠과 ㉡에 알맞은 수는 각각 무엇일까요?

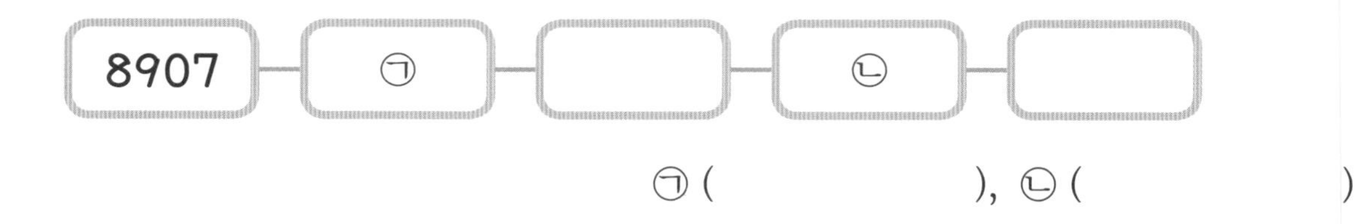

㉠ (　　　　　　　), ㉡ (　　　　　　　)

10부터 오른쪽으로 2를 곱한 수가 있도록 수를 씁니다. ㉠과 ㉡에 알맞은 수의 합은 얼마일까요?

10 — □ — ㉠ — □ — ㉡

(　　　　　　　)

물음에 답하세요.

규칙에 따라 수를 배열합니다. ★에 알맞은 수는 무엇일까요?

( )

규칙에 따라 수를 배열합니다. ㉠과 ㉡에 알맞은 수는 각각 무엇일까요?

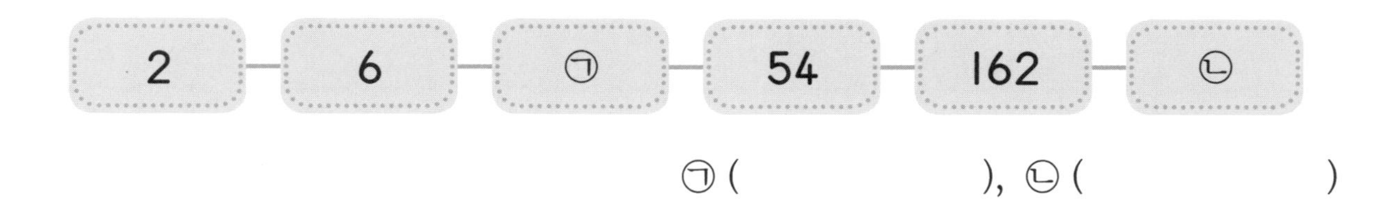

㉠ ( ), ㉡ ( )

규칙에 따라 수를 배열합니다. ㉠과 ㉡에 알맞은 수의 합은 얼마일까요?

7045 — ㉠ — 5043 — 4042 — 3041 — ㉡

( )

여러 가지 규칙

주어진 규칙에 따라 빈칸에 알맞은 수를 써넣으세요.

1부터 오른쪽으로 1, 3이 번갈아 가며 커집니다.

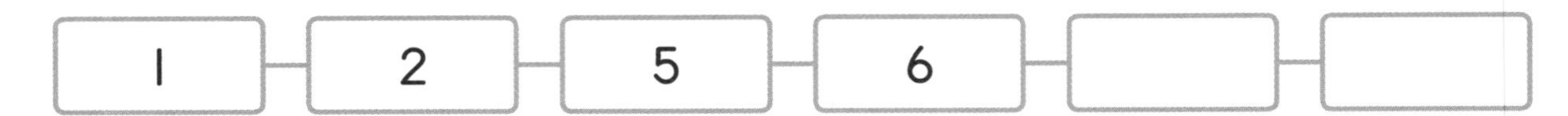

1부터 오른쪽으로 2, 3, 4……씩 커집니다.

1부터 오른쪽으로 앞의 두 수를 더한 수가 있습니다.

앞의 두 수를 더한 수를 다음에 쓰는 수 배열을 피보나치 수열이라고 합니다.

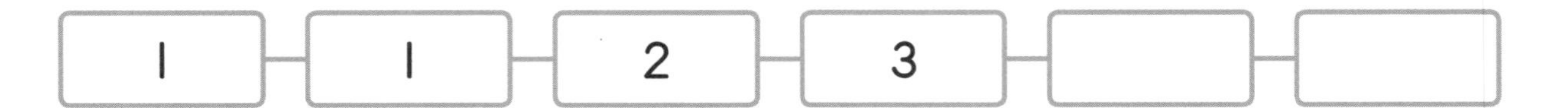

2 주차

수 배열표 규칙

1일차 수 배열표 규칙

주어진 규칙에 따라 빈칸에 알맞은 수를 써넣어 수 배열표를 완성해 보세요.

오른쪽으로 2씩 커지고, 아래쪽으로 100씩 작아집니다.

400	402	404	406	408
300	302		306	308
200	202	204		208
100	102		106	

오른쪽으로 1씩 커지고, 아래쪽으로 1000씩 커집니다.

1111	1112	1113	1114	1115
2111	2112	2113	2114	2115
3111	3112		3114	
4111		4113		4115

오른쪽으로 20씩 커지고, 아래쪽으로 5씩 커집니다.

350	370	390	410	430
355		395	415	435
360		400		
365	385	405	425	445

수 배열표에서 규칙을 찾아 빈칸에 알맞은 수를 써넣으세요.

101	201	301	401	501
111	211	311	411	511
121	221	321	421	521
131	231	331	431	
141	241	341		541

2008	2006	2004	2002	2000
2108	2106	2104	2102	2100
2208	2206	2204	2202	2200
2308	2306		2302	2300
2408	2406	2404	2402	

50100	50101	50102	50103	
40100	40101	40102	40103	40104
30100	30101	30102	30103	30104
20100	20101	20102	20103	20104
10100		10102	10103	10104

2일차 규칙 말하기

□과 ▒ 칸에서 규칙을 찾아 빈칸에 알맞은 수를 써넣으세요.

1101	1102	1103	1104	1105
1201	1202	1203	1204	1205
1301	1302	1303	1304	1305
1401	1402	1403	1404	1405
1501	1502	1503	1504	1505

규칙 1 □으로 표시된 칸은 1201부터 오른쪽으로 □씩 커집니다.

규칙 2 ▒으로 표시된 칸은 □부터 아래쪽으로 □씩 커집니다.

120	220	320	420	520
130	230	330	430	530
140	240	340	440	540
150	250	350	450	550
160	260	360	460	560

규칙 1 □으로 표시된 칸은 120부터 ↘ 방향으로 □씩 커집니다.

규칙 2 ▒으로 표시된 칸은 □부터 ↙ 방향으로 □씩 작아집니다.

□과 ■칸에서 규칙을 찾아 써 보세요.

5211	5221	5231	5241	5251
4211	4221	4231	4241	4251
3211	3221	3231	3241	3251
2211	2221	2231	2241	2251
1211	1221	1231	1241	1251

규칙 1 □으로 표시된 칸은 ____________________

규칙 2 ■으로 표시된 칸은 ____________________

101	103	105	107	109
111	113	115	117	119
121	123	125	127	129
131	133	135	137	139
141	143	145	147	149

규칙 1 □으로 표시된 칸은 ____________________

규칙 2 ■으로 표시된 칸은 ____________________

3일차 찢어진 수 배열표

수 배열표의 일부가 찢어졌습니다. 규칙을 찾아 **?**에 알맞은 수를 구해 보세요.

153	154	155	156	157
353	354	355	356	
553	554	555	556	
753	754	755	756	
953				**?**

(　　　　　　)

2955	2855	2755	2655	
2956	2856	2756	2656	
2957	2857	2757	2657	
2958	2858	2758	2658	
				?

(　　　　　　)

	10112	10212	10312	10412
	20112	20212	20312	20412
	30112	30212	30312	30412
	40112	40212	40312	40412
?				

(　　　　　　)

수 배열표의 일부입니다. 규칙을 찾아 색칠된 칸에 알맞은 수를 써넣으세요.

41	43	45		
	53	55		
61		65	67	69
			77	

703	713	723	733	
		623	633	
	513		533	543

115				
116	166	216	266	
117	167		267	
			268	

1412		1414	1415	1416
	2413		2415	2416
3412	3413			3416

4일차 문자와 수의 규칙

문자와 수를 배열한 표입니다. 규칙을 찾아 ▲과 ★에 알맞은 수를 각각 구해 보세요.

A1	A2	A3	A4	A5	A6
B1	B2	B3	B4	B5	B6
C1	C2	▲	C4	C5	C6
D1	D2	D3	D4	★	D6

▲ (　　　　)
★ (　　　　)

가11	나11	다11	라11	마11	바11
가12	나12	다12	라12	마12	▲
가13	나13	다13	라13	마13	바13
가14	나14	다14	★	마14	바14

▲ (　　　　)
★ (　　　　)

A401	B401	C401	D401	E401	F401
A301	B301		▲	E301	F301
A201	B201	C201			
A101	B101	C101	D101		★

▲ (　　　　)
★ (　　　　)

가15	가16	가17	가18		가20
나15	나16	나17		★	나20
	▲		다18		다20
라15		라17	라18	라19	라20

▲ (　　　　)
★ (　　　　)

월 일

물음에 답하세요.

기차 좌석 배치도에서 ◆ 표시된 곳은 민하의 좌석입니다. 규칙을 찾아 민하의 좌석 번호를 구해 보세요.

기차 좌석 배치도

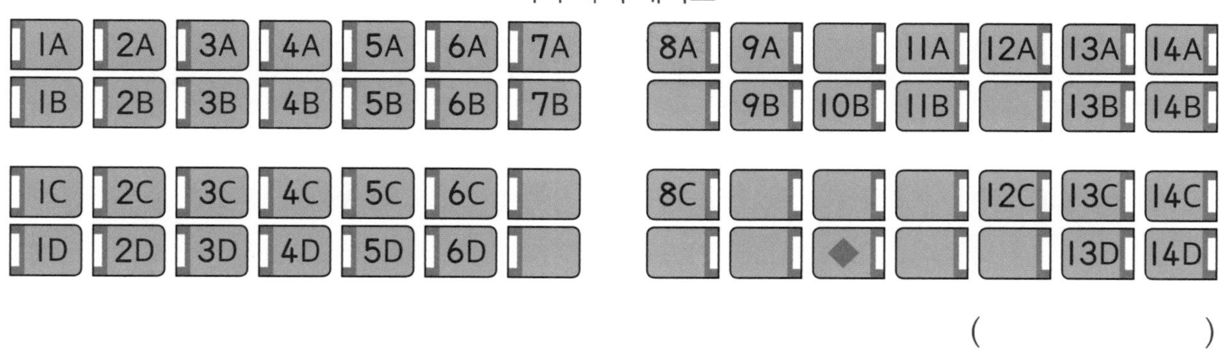

(　　　　　　)

극장 좌석 배치도에서 ★ 표시된 곳은 성규의 좌석입니다. 규칙을 찾아 성규의 좌석 번호를 구해 보세요.

극장 좌석 배치도

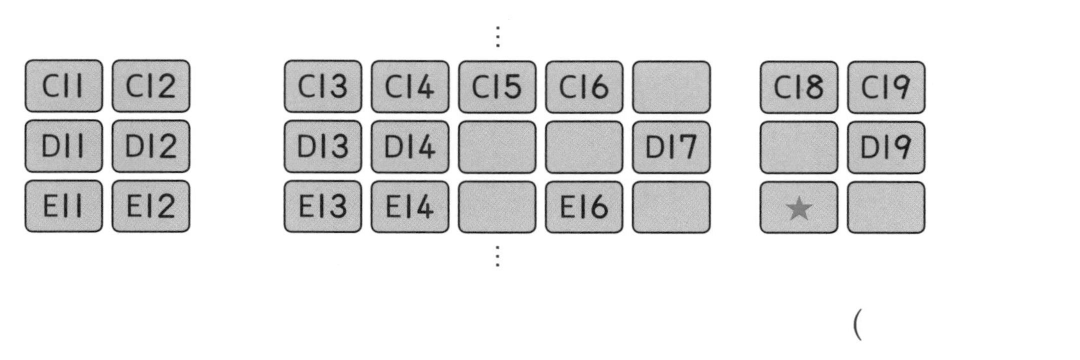

(　　　　　　)

5일차 곱과 몫의 규칙

곱셈을 이용한 수 배열표입니다. 규칙을 찾아 ■과 ▲에 알맞은 수를 각각 구해 보세요.

	11	12	13	14	15
1	11	12	13	14	15
2	22	24	26	28	30
3	33	36	39	42	45
4	44	48	52	56	60
5	55	60	■	70	75
6	66	72	78	84	▲

■ (　　　　　), ▲ (　　　　　)

	11	22	33	44	55
2	2	4	6	8	0
3	3	6	9	2	5
4	4	8	2	6	0
5	5	0	5	0	
6	6	2	8		■
7	7	4		▲	

■ (　　　　　), ▲ (　　　　　)

나눗셈을 이용한 수 배열표입니다. 규칙을 찾아 ●과 ★에 알맞은 수를 각각 구해 보세요.

	1	2	4	8	16
16	16	8	4	2	1
32	32	16	8	4	2
48	48	24	12	6	3
64	64	32	16	●	4
80	80	40	20	10	5
96	96	48	★	12	6

● (　　　　), ★ (　　　　)

	10	11	12	13	14
2	0	1	0	1	0
3	1	2	0	1	2
4	2	3			●
5	0	1	2	3	4
6	4	5	★		2
7	3	4		6	0

● (　　　　), ★ (　　　　)

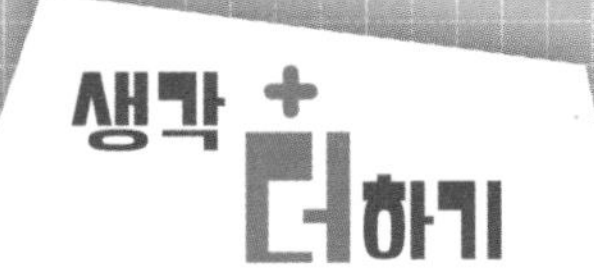

자물쇠 비밀번호

자물쇠의 비밀번호는 수 배열표에서 색칠된 칸에 들어가는 수입니다. 수 배열표에서 규칙을 찾아 자물쇠의 비밀번호를 구해 보세요.

10101	11102	12103	13104	
20101	21102	22103	23104	
30101	31102	32103	33104	
40101	41102	42103	43104	

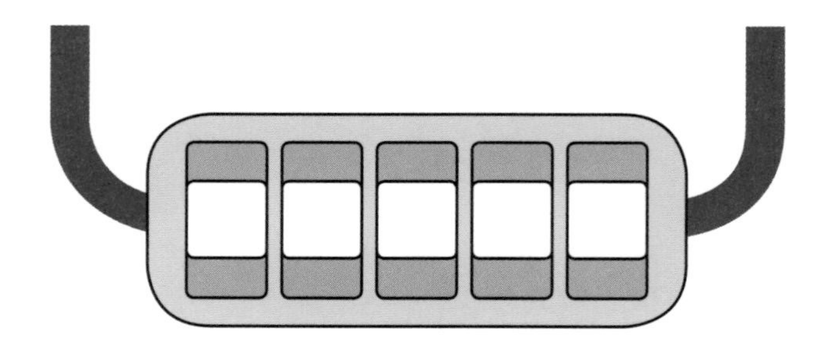

3 주차

덧셈과 뺄셈 규칙

1일차 합이 같은 덧셈식

덧셈식의 규칙에 따라 빈칸에 알맞은 수를 써넣으세요.

$100 + 500 = 600$
$200 + 400 = 600$
$300 + \square = 600$
$\square + 200 = 600$

$107 + 91 = 198$
$117 + 81 = 198$
$\square + 71 = 198$
$137 + 61 = \square$

더해지는 수와 더하는 수에서 규칙을 찾습니다.

$214 + 50 = 264$
$213 + 51 = 264$
$212 + 52 = \square$
$211 + \square = 264$

$831 + 120 = 951$
$731 + 220 = 951$
$\square + 320 = 951$
$531 + \square = 951$

더해지는 수가 커지는(작아지는) 만큼 더하는 수가 작아지면(커지면) 계산 결과는 같습니다.

더해지는 수 　 더하는 수
↓ 　 ↓
$10 + 90 = 100$
$20 + 80 = 100$
$30 + 70 = 100$
$40 + 60 = 100$

더해지는 수가 10씩 커지고
더하는 수가 10씩 작아지면
계산 결과는 같습니다.

덧셈식의 규칙에 따라 빈칸에 알맞은 식을 써넣으세요.

$101 + 403 = 504$
$201 + 303 = 504$
$301 + 203 = 504$

$260 + 30 = 290$
$250 + 40 = 290$
$240 + 50 = 290$

$10 + 65 = 75$
$15 + 60 = 75$
$20 + 55 = 75$

$652 + 210 = 862$
$552 + 310 = 862$
$452 + 410 = 862$

$103 + 97 = 200$
$113 + 87 = 200$
$123 + 77 = 200$

$316 + 111 = 427$
$314 + 113 = 427$
$312 + 115 = 427$

2일차 덧셈식 규칙

규칙에 맞는 덧셈식을 찾아 이어 보고 규칙에 따라 빈칸에 알맞은 식을 써넣으세요.

더하는 수가 20씩 커지면 계산 결과는 20씩 커집니다. •

• $20+50=70$
$40+40=80$
$60+30=90$
[ ]

더해지는 수와 더하는 수가 각각 20씩 커지면 계산 결과는 40씩 커집니다. •

• $50+30=80$
$50+50=100$
$50+70=120$
[ ]

더해지는 수가 20씩 커지고 더하는 수가 10씩 작아지면 계산 결과는 10씩 커집니다. •

• $15+10=25$
$35+30=65$
$55+50=105$
[ ]

덧셈식을 보고 빈칸에 알맞은 수 또는 식을 써넣으세요.

$150+31=181$
$250+32=282$
$350+33=383$
( )

규칙

더해지는 수가 ( )씩 커지고

더하는 수가 ( )씩 커지면

계산 결과는 ( )씩 커집니다.

$220+150=370$
$320+250=570$
$420+350=770$
( )

규칙

더해지는 수가 ( )씩 커지고

더하는 수가 ( )씩 커지면

계산 결과는 ( )씩 커집니다.

$421+80=501$
$431+60=491$
$441+40=481$
( )

규칙

더해지는 수가 ( )씩 커지고

더하는 수가 ( )씩 작아지면

계산 결과는 ( )씩 작아집니다.

3일차 차가 같은 뺄셈식

뺄셈식의 규칙에 따라 빈칸에 알맞은 수를 써넣으세요.

$300 - 100 = 200$
$400 - 200 = 200$
$500 - \square = 200$
$600 - 400 = \square$

$255 - 10 = 245$
$256 - 11 = 245$
$257 - 12 = \square$
$258 - \square = 245$

빼지는 수와 빼는 수에서 규칙을 찾습니다.

$390 - 90 = 300$
$380 - 80 = 300$
$\square - 70 = 300$
$360 - \square = 300$

$863 - 740 = 123$
$763 - 640 = 123$
$\square - 540 = 123$
$563 - \square = 123$

빼지는 수가 커지는(작아지는) 만큼 빼는 수가 커지면(작아지면) 계산 결과는 같습니다.

		빼지는 수 ↓ 빼는 수 ↓
$90+10=100$	➡	$100-10=90$
$90+20=110$		$110-20=90$
$90+30=120$		$120-30=90$
$90+40=130$		$130-40=90$

빼지는 수가 10씩 커지고 빼는 수가 10씩 커지면 계산 결과는 같습니다.

월

일

빨셈식의 규칙에 따라 빈칸에 알맞은 식을 써넣으세요.

$125 - 20 = 105$
$126 - 21 = 105$
$127 - 22 = 105$

$780 - 530 = 250$
$680 - 430 = 250$
$580 - 330 = 250$

$178 - 15 = 163$
$278 - 115 = 163$
$378 - 215 = 163$

$166 - 152 = 14$
$156 - 142 = 14$
$146 - 132 = 14$

$460 - 140 = 320$
$510 - 190 = 320$
$560 - 240 = 320$

$250 - 39 = 211$
$248 - 37 = 211$
$246 - 35 = 211$

4일차 뺄셈식 규칙

규칙에 맞는 뺄셈식을 찾아 이어 보고 규칙에 따라 빈칸에 알맞은 식을 써넣으세요.

빼지는 수가 10씩 커지면 계산 결과는 10씩 커집니다. •

• $50-20=30$
$60-20=40$
$70-20=50$
(빈칸)

빼는 수가 10씩 커지면 계산 결과는 10씩 작아집니다. •

• $70-40=30$
$80-30=50$
$90-20=70$
(빈칸)

빼지는 수가 10씩 커지고 빼는 수가 10씩 작아지면 계산 결과는 20씩 커집니다. •

• $100-10=90$
$100-20=80$
$100-30=70$
(빈칸)

빼셈식을 보고 빈칸에 알맞은 수 또는 식을 써넣으세요.

$100 - 10 = 90$

$200 - 20 = 180$

$300 - 30 = 270$

[ ]

규칙

빼지는 수가 [ ]씩 커지고

빼는 수가 [ ]씩 커지면

계산 결과는 [ ]씩 커집니다.

$200 - 100 = 100$

$210 - 120 = 90$

$220 - 140 = 80$

[ ]

규칙

빼지는 수가 [ ]씩 커지고

빼는 수가 [ ]씩 커지면

계산 결과는 [ ]씩 작아집니다.

$700 - 500 = 200$

$650 - 400 = 250$

$600 - 300 = 300$

[ ]

규칙

빼지는 수가 [ ]씩 작아지고

빼는 수가 [ ]씩 작아지면

계산 결과는 [ ]씩 커집니다.

5일차 덧셈식 추측하기

덧셈식의 규칙에 따라 빈칸에 알맞은 수 또는 식을 써넣으세요.

$1+1=2$

$12+11=23$

$123+111=234$

$1234+1111=2345$

$12345+11111=$ ☐

$876+123=999$

$765+123=888$

$654+123=777$

☐ $+123=666$

$432+123=555$

$1+9=10$

$11+89=100$

$111+889=1000$

$1111+8889=10000$

☐

$12+21=33$

$123+321=444$

$1234+4321=5555$

$12345+54321=66666$

☐

월 일

물음에 답하세요.

덧셈식의 규칙에 따라 계산 결과가 **49**가 되는 덧셈식을 써 보세요.

$$1+3=4$$
$$1+3+5=9$$
$$1+3+5+7=16$$
$$1+3+5+7+9=25$$

(   )

덧셈식의 규칙에 따라 계산 결과가 **999999**가 되는 덧셈식을 써 보세요.

$$1+8=9$$
$$12+87=99$$
$$123+876=999$$
$$1234+8765=9999$$

(   )

909 만들기

계산식의 규칙에 따라 계산 결과가 909가 되는 계산식을 써 보세요.

$110 + 100 - 8 = 202$

$220 + 90 - 7 = 303$

$330 + 80 - 6 = 404$

$440 + 70 - 5 = 505$

$550 + 60 - 4 = 606$

⋮

$\boxed{} = 909$

4 주차

곱셈과 나눗셈 규칙

계산식의 결과를 확인하기 위해 계산기를 사용할 수 있습니다.

1일차 곱셈식 규칙

곱셈식의 규칙에 따라 빈칸에 알맞은 수를 써넣으세요.

$10 \times 30 = 300$
$20 \times 30 = 600$
$30 \times 30 = \square$
$40 \times 30 = \square$

(×2, ×3, ×4)

$5 \times 20 = 100$
$10 \times 20 = 200$
$20 \times 20 = \square$
$40 \times 20 = \square$

(×2, ×2, ×2)

$100 \times 5 = 500$
$100 \times 10 = 1000$
$100 \times 15 = 1500$
$\square \times \square = 2000$

$30 \times 10 = 300$
$30 \times 20 = 600$
$30 \times 40 = 1200$
$\square \times \square = 2400$

곱해지는 수 또는 곱하는 수가 **2**배, **3**배, **4**배가 되면 곱도 **2**배, **3**배, **4**배가 됩니다.

곱해지는 수 ↓ 곱하는 수 ↓	곱해지는 수 ↓ 곱하는 수 ↓
$10 \times 5 = 50$	$5 \times 10 = 50$
$20 \times 5 = 100$	$5 \times 20 = 100$
$30 \times 5 = 150$	$5 \times 30 = 150$
$40 \times 5 = 200$	$5 \times 40 = 200$

10씩 커지는 수에 **5**를 곱하면 곱은 **50**씩 커집니다.
(**5**에 **10**씩 커지는 수를 곱하면 곱은 **50**씩 커집니다.)

곱셈식의 규칙에 따라 빈칸에 알맞은 식을 써넣으세요.

$20 \times 11 = 220$
$40 \times 11 = 440$
$60 \times 11 = 660$
[ ]
$100 \times 11 = 1100$

$10 \times 9 = 90$
$20 \times 9 = 180$
$40 \times 9 = 360$
[ ]
$160 \times 9 = 1440$

$37 \times 3 = 111$
$37 \times 6 = 222$
$37 \times 9 = 333$
$37 \times 12 = 444$
[ ]

$4 \times 25 = 100$
$4 \times 50 = 200$
$4 \times 100 = 400$
$4 \times 200 = 800$
[ ]

곱해지는 수 또는 곱하는 수가 **2**배씩 커지면 곱도 **2**배씩 커집니다.

곱해지는 수 ↓	곱하는 수 ↓		곱해지는 수 ↓	곱하는 수 ↓	
10	× 5	= 50	5	× 10	= 50
20	× 5	= 100	5	× 20	= 100
40	× 5	= 200	5	× 40	= 200
80	× 5	= 400	5	× 80	= 400

2배씩 커지는 수에 **5**를 곱하면 곱도 **2**배씩 커집니다.
(**5**에 **2**배씩 커지는 수를 곱하면 곱도 **2**배씩 커집니다.)

2일차 나눗셈식 규칙 (1)

나눗셈식의 규칙에 따라 빈칸에 알맞은 수를 써넣으세요.

$110 \div 5 = 22$
$220 \div 5 = 44$
$330 \div 5 = \square$
$440 \div 5 = \square$

(×2, ×3, ×4)

$100 \div 2 = 50$
$200 \div 2 = 100$
$400 \div 2 = \square$
$800 \div 2 = \square$

(×2, ×2, ×2)

$60 \div 20 = 3$
$120 \div 20 = 6$
$180 \div 20 = 9$
$\square \div \square = 12$

$80 \div 40 = 2$
$160 \div 40 = 4$
$320 \div 40 = 8$
$\square \div \square = 16$

나누어지는 수가 2배, 3배, 4배가 되면 몫도 2배, 3배, 4배가 됩니다.

		나누어지는 수 ↓ 나누는 수 ↓
$10 \times 5 = 50$	➡	$50 \div 5 = 10$
$20 \times 5 = 100$		$100 \div 5 = 20$
$30 \times 5 = 150$		$150 \div 5 = 30$
$40 \times 5 = 200$		$200 \div 5 = 40$

50씩 커지는 수를 5로 나누면 몫은 10씩 커집니다.

나눗셈식의 규칙에 따라 빈칸에 알맞은 식을 써넣으세요.

$20 \div 5 = 4$
$40 \div 5 = 8$
$60 \div 5 = 12$
[ ]
$100 \div 5 = 20$

$40 \div 4 = 10$
$80 \div 4 = 20$
$160 \div 4 = 40$
[ ]
$640 \div 4 = 160$

$30 \div 3 = 10$
$60 \div 3 = 20$
$90 \div 3 = 30$
$120 \div 3 = 40$
[ ]

$50 \div 25 = 2$
$100 \div 25 = 4$
$200 \div 25 = 8$
$400 \div 25 = 16$
[ ]

나누어지는 수가 2배씩 커지면 몫도 2배씩 커집니다.

곱셈식		나누어지는 수 ↓ / 나누는 수 ↓
$10 \times 5 = 50$	➡	$50 \div 5 = 10$
$20 \times 5 = 100$		$100 \div 5 = 20$
$40 \times 5 = 200$		$200 \div 5 = 40$
$80 \times 5 = 400$		$400 \div 5 = 80$

2배씩 커지는 수를 5로 나누면 몫도 2배씩 커집니다.

3일차 나눗셈식 규칙 (2)

■ 나눗셈식의 규칙에 따라 빈칸에 알맞은 수를 써넣으세요.

50	÷	1	=	50
100	÷	2	=	50
150	÷	3	=	□
200	÷	4	=	□

(나누어지는 수: ×2, ×3, ×4 / 나누는 수: ×2, ×3, ×4)

80	÷	1	=	80
160	÷	2	=	80
320	÷	4	=	□
640	÷	8	=	□

(나누어지는 수: ×2, ×2, ×2 / 나누는 수: ×2, ×2, ×2)

220	÷	11	=	20
440	÷	22	=	20
660	÷	33	=	20
□	÷	44	=	□

75	÷	3	=	25
150	÷	6	=	25
300	÷	12	=	25
600	÷	□	=	□

나누어지는 수와 나누는 수가 각각 **2**배, **3**배, **4**배가 되면 몫은 같습니다.

		나누어지는 수 ↓ 나누는 수 ↓
10 × 5 = 50		50 ÷ 10 = 5
20 × 5 = 100	➡	100 ÷ 20 = 5
30 × 5 = 150		150 ÷ 30 = 5
40 × 5 = 200		200 ÷ 40 = 5

50씩 커지는 수를 **10**씩 커지는 수로 나누면 몫은 같습니다.

나눗셈식의 규칙에 따라 빈칸에 알맞은 식을 써넣으세요.

$50 \div 2 = 25$
$100 \div 4 = 25$
$150 \div 6 = 25$
[ ]
$250 \div 10 = 25$

$40 \div 10 = 4$
$80 \div 20 = 4$
$160 \div 40 = 4$
[ ]
$640 \div 160 = 4$

$111 \div 1 = 111$
$222 \div 2 = 111$
$333 \div 3 = 111$
$444 \div 4 = 111$
[ ]

$30 \div 1 = 30$
$60 \div 2 = 30$
$120 \div 4 = 30$
$240 \div 8 = 30$
[ ]

나누어지는 수와 나누는 수가 각각 2배씩 커지면 몫은 같습니다.

		나누어지는 수 ↓ ÷ 나누는 수 ↓
$10 \times 5 = 50$	→	$50 \div 10 = 5$
$20 \times 5 = 100$		$100 \div 20 = 5$
$40 \times 5 = 200$		$200 \div 40 = 5$
$80 \times 5 = 400$		$400 \div 80 = 5$

2배씩 커지는 수를 2배씩 커지는 수로 나누면 몫은 같습니다.

4일차 곱셈식 추측하기

곱셈식의 규칙에 따라 빈칸에 알맞은 식을 써넣으세요.

$1 \times 1 = 1$

$11 \times 11 = 121$

$111 \times 111 = 12321$

$1111 \times 1111 = 1234321$

$22 \times 1 = 22$

$22 \times 101 = 2222$

$22 \times 10101 = 222222$

$22 \times 1010101 = 22222222$

$12 \times 9 = 108$

$123 \times 9 = 1107$

$1234 \times 9 = 11106$

$12345 \times 9 = 111105$

물음에 답하세요.

규칙에 따라 계산 결과가 88888887이 되는 곱셈식을 써 보세요.

$9 \times 9 = 81$

$98 \times 9 = 882$

$987 \times 9 = 8883$

$9876 \times 9 = 88884$

(　　　　　　　　　　　　　　　　　　　　)

규칙에 따라 계산 결과에서 0이 5번 나오는 곱셈식은 몇째일까요?

첫째	$5 \times 103 = 515$
둘째	$5 \times 1003 = 5015$
셋째	$5 \times 10003 = 50015$
넷째	$5 \times 100003 = 500015$

(　　　　　　)

5일차 나눗셈식 추측하기

나눗셈식의 규칙에 따라 빈칸에 알맞은 식을 써넣으세요.

$12 \div 3 = 4$

$102 \div 3 = 34$

$1002 \div 3 = 334$

$10002 \div 3 = 3334$

$111111111 \div 9 = 12345679$

$222222222 \div 18 = 12345679$

$333333333 \div 27 = 12345679$

$444444444 \div 36 = 12345679$

$81 \div 9 = 9$

$8811 \div 99 = 89$

$888111 \div 999 = 889$

$88881111 \div 9999 = 8889$

물음에 답하세요.

규칙에 따라 계산 결과가 654321이 되는 나눗셈식을 써 보세요.

$$9 \div 9 = 1$$
$$189 \div 9 = 21$$
$$2889 \div 9 = 321$$
$$38889 \div 9 = 4321$$

(　　　　　　　　　　　　　　　　　　　　　　)

규칙에 따라 계산했을 때 29999997÷3의 몫은 얼마일까요?

$$27 \div 3 = 9$$
$$297 \div 3 = 99$$
$$2997 \div 3 = 999$$
$$29997 \div 3 = 9999$$

(　　　　　　　　　　)

계산식 규칙

곱셈식과 나눗셈식의 규칙을 보고 빈칸에 알맞은 수를 써넣으세요.

곱해지는 수가 2배, 3배, 4배가 되고 곱하는 수가 2, 3, 4로 나누어지면 곱은 같습니다.

$11 \times 60 = 660$

$22 \times 30 = \square$

$33 \times 20 = 660$

$\square \times \square = 660$

나누는 수가 반으로 줄어들면 몫은 2배씩 커집니다.

$800 \div 8 = 100$

$800 \div 4 = 200$

$800 \div \square = 400$

$\square \div 1 = \square$

곱해지는 수와 곱하는 수가 각각 2배씩 커지면 곱은 4배씩 커집니다.

$5 \times 2 = 10$

$10 \times 4 = 40$

$\square \times \square = \square$

$40 \times 16 = 640$

링크 계산식 만들기

LINK 1 휴대 전화 수 배열

색칠된 부분에서 규칙적인 계산식을 찾아 빈칸에 알맞은 수를 써넣으세요.

1	2	3
4	5	6
7	8	9
*	0	#

$2+1=3$

$5+1=6$

$8+\square=\square$

1	2	3
4	5	6
7	8	9
*	0	#

$7-6=1$

$8-6=2$

$9-\square=\square$

1	2	3
4	5	6
7	8	9
*	0	#

$8-4=4$

$\square-\square=4$

1	2	3
4	5	6
7	8	9
*	0	#

$7-5=2$

$\square-\square=3$

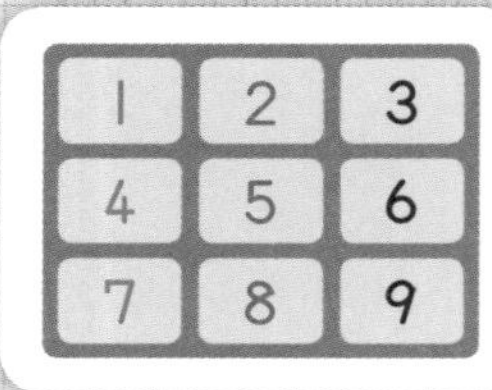

① → 방향으로 1씩 커지고, ← 방향으로 1씩 작아집니다.
($1+1=2$, $4+1=5$, $7+1=8$)

② ↘ 방향으로 4씩 커지고, ↖ 방향으로 4씩 작아집니다.
($5-1=4$, $8-4=4$)

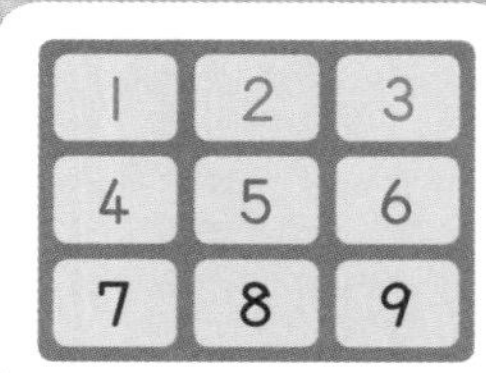

③ ↓ 방향으로 3씩 커지고, ↑ 방향으로 3씩 작아집니다.
($1+3=4$, $2+3=5$, $3+3=6$)

④ ↙ 방향으로 2씩 커지고, ↗ 방향으로 2씩 작아집니다.
($4-2=2$, $5-3=2$)

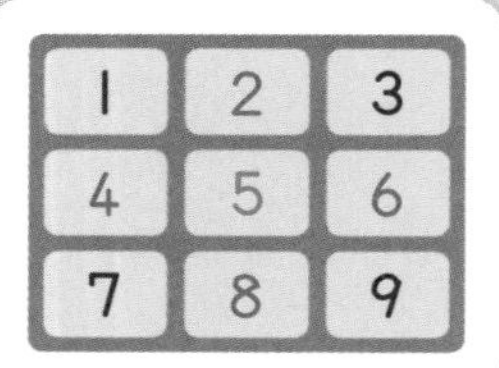

⑤ 가운데 수에서 반대 방향으로 같은 칸 수만큼 간 곳에 있는 두 수의 합은 가운데 수의 2배입니다.
($4+6=5\times2$, $2+8=5\times2$)

수 배열에서 규칙적인 계산식을 찾아 빈칸에 알맞은 수 또는 식을 써넣으세요.

1	2	3
4	5	6
7	8	9
*	0	#

$2-1=3-2$

$5-4=6-5$

$8-\square=9-\square$

$1+3=2\times 2$

$4+6=5\times\square$

$7+\square=\square\times 2$

$1+1=3-1$

$4+1=6-1$

$\square+1=9-\square$

$1+2+3=2\times 3$

$4+5+6=\square\times 3$

$7+8+\square=8\times 3$

$7-4=4-1$

$8-5=5-2$

$\square$

$1+4+7=4\times 3$

$2+5+8=5\times 3$

$\square$

LINK 2 달력 수 배열

색칠된 부분에서 규칙적인 계산식을 찾아 빈칸에 알맞은 수를 써넣으세요.

일	월	화	수	목	금	토
1	2	3	4	5	6	7
8	9	10	11	12	13	14
15	16	17	18	19	20	21
22	23	24	25	26	27	28
29	30					

$5-3=6-4$

$12-10=13-\square$

$\square-\square=20-18$

일	월	화	수	목	금	토
1	2	3	4	5	6	7
8	9	10	11	12	13	14
15	16	17	18	19	20	21
22	23	24	25	26	27	28
29	30					

$9+16+23=16\times3$

$10+17+24=\square\times\square$

$\square+18+\square=18\times3$

일	월	화	수	목	금	토
				1	2	3
4	5	6	7	8	9	10
11	12	13	14	15	16	17
18	19	20	21	22	23	24
25	26	27	28	29	30	31

① → 방향으로 1씩 커지고, ← 방향으로 1씩 작아집니다. ($5-4=6-5$)

② ↓ 방향으로 7씩 커지고, ↑ 방향으로 7씩 작아집니다. ($11-4=18-11$)

③ ↘ 방향으로 8씩 커지고, ↖ 방향으로 8씩 작아집니다. ($12-4=13-5$)

④ ↙ 방향으로 6씩 커지고, ↗ 방향으로 6씩 작아집니다. ($12-6=18-12$)

⑤ 가운데 수에서 반대 방향으로 같은 칸 수만큼 간 곳에 있는 두 수의 합은 가운데 수의 2배입니다. ($4+20=12\times2$, $4+8=5+7=6\times2$)

수 배열에서 규칙적인 계산식을 찾아 빈칸에 알맞은 수 또는 식을 써넣으세요.

일	월	화	수	목	금	토
		1	2	3	4	5
6	7	8	9	10	11	12
13	14	15	16	17	18	19
20	21	22	23	24	25	26
27	28	29	30	31		

$7-1=13-7$

$8-\square=14-8$

$9-3=15-\square$

$1+4=2+3$

$8+11=9+10$

$15+18=\square+\square$

$9+11=10\times2$

$16+18=17\times2$

$23+\square=\square\times2$

$1+9=2+8$

$2+10=3+\square$

$3+\square=4+10$

$15-8=8-1$

$16-9=9-2$

$\square$

$8+14+20=14\times3$

$9+15+21=15\times3$

$\square$

LINK 3

수 배열표와 식

색칠된 부분에서 규칙적인 계산식을 찾아 빈칸에 알맞은 식을 써넣으세요.

21	22	23	24	25
31	32	33	34	35
41	42	43	44	45
51	52	53	54	55

$31+10=41$

$32+10=42$

[   ]

$34+10=44$

$42-11=31$

$43-11=32$

[   ]

$45-11=34$

61	62	63	64	65
71	72	73	74	75
81	82	83	84	85
91	92	93	94	95

$61+91=71+81$

$62+92=72+82$

$63+93=73+83$

[   ]

$71-61=91-81$

$72-62=92-82$

$73-63=93-83$

[   ]

수 배열에서 규칙적인 계산식을 찾아 빈칸에 알맞은 수를 써넣으세요.

501	502	503	504	505
401	402	403	404	405
301	302	303	304	305
201	202	203	204	205
101	102	103	104	105

$303+202+204+103=203\times\square$

$101+301+501=301\times\square$

$501+402+303=\square\times3$

$101+103+105=\square\times3$

$301+303+101+103=\square\times4$

$403+302+303+304+203=\square\times5$

memo

형성평가

형성평가 1회

※ 수 배열표를 보고 물음에 답하세요. (**1~2**)

1010	1011	1012	1013	1014
2010	2011	2012	2013	2014
3010	3011	3012	3013	
4010	4011	4012		4014
5010	5011		5013	5014

1 □과 ■칸에서 규칙을 찾아 빈칸에 알맞은 수를 써넣으세요.

규칙 1 □으로 표시된 칸은 [　　] 부터 오른쪽으로 [　] 씩 커집니다.

규칙 2 ■으로 표시된 칸은 [　　] 부터 아래쪽으로 [　　] 씩 커집니다.

2 위의 수 배열표의 빈칸에 알맞은 수를 써넣으세요.

3 수 배열에서 규칙을 찾아 ★에 알맞은 수를 구해 보세요.

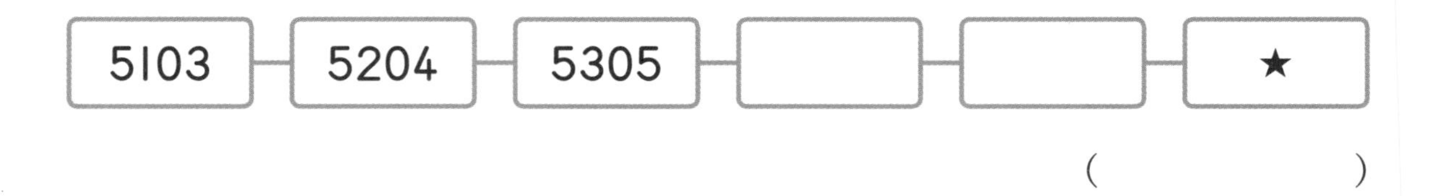

(　　　　　　)

4 뺄셈식에서 규칙을 찾아 빈칸에 알맞은 식을 써넣으세요.

$252-120=132$

$352-220=132$

$452-320=132$

[ ]

5 덧셈식에서 규칙을 찾아 빈칸에 알맞은 식을 써넣으세요.

$9+1=10$

$98+12=110$

$987+123=1110$

[ ]

$98765+12345=111110$

6 나눗셈식에서 규칙을 찾아 일곱째 식을 써 보세요.

첫째	$111111 \div 7=15873$
둘째	$222222 \div 14=15873$
셋째	$333333 \div 21=15873$
넷째	$444444 \div 28=15873$

( )

··· 형성평가 2회

1 수 배열에서 규칙을 찾아 빈칸에 알맞은 수를 써넣으세요.

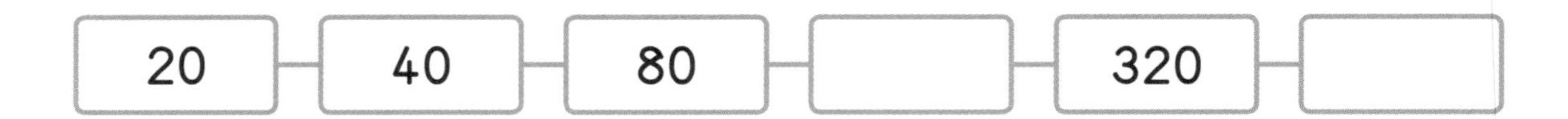

※ 수 배열표의 일부가 찢어졌습니다. 물음에 답하세요. (**2**~**3**)

1001	1021	1041	1061
2001	2021	2041	2061
3001	3021	3041	3061
4001	4021	4041	4061
				★

2 ▭ 칸에서 규칙을 찾아 빈칸에 알맞은 수를 써넣으세요.

규칙 ▭ 으로 표시된 칸은 [ ] 부터 ↘ 방향으로 [ ] 씩 커집니다.

3 ★에 알맞은 수를 구해 보세요.

( )

4 나눗셈식에서 규칙을 찾아 빈칸에 알맞은 식을 써넣으세요.

$90 \div 10 = 9$

$180 \div 20 = 9$

$270 \div 30 = 9$

[ ]

5 덧셈식에서 규칙을 찾아 빈칸에 알맞은 식을 써넣으세요.

$12 + 89 = 101$

$112 + 889 = 1001$

$1112 + 8889 = 10001$

$11112 + 88889 = 100001$

[ ]

6 규칙에 따라 계산했을 때 5555555×5의 계산 결과는 얼마일까요?

$5 \times 5 = 25$

$55 \times 5 = 275$

$555 \times 5 = 2775$

$5555 \times 5 = 27775$

( )

memo

초등 수학 핵심파트 집중 완성

교과특강

초4

D3

수와 식 배열 규칙

정답

D3

수와 식 배열 규칙

정답

1주차: 수 배열 규칙

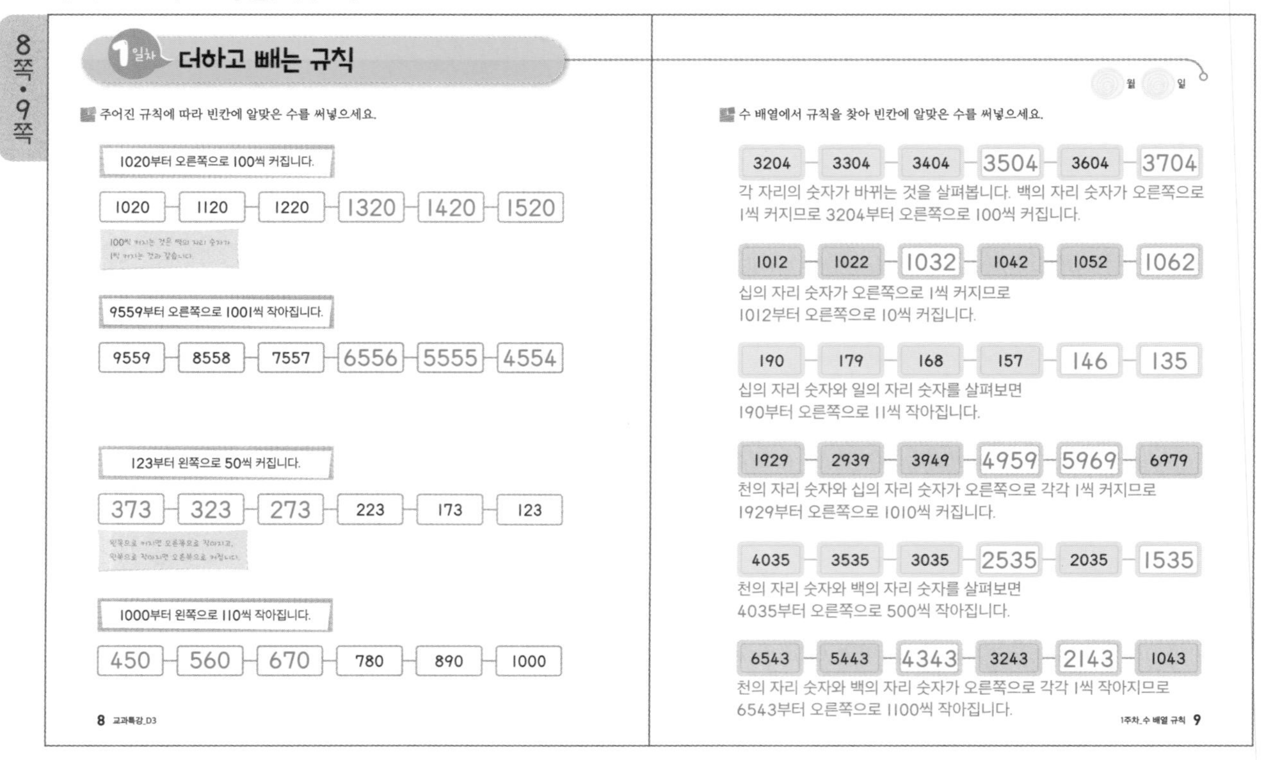

8쪽 · 9쪽

1일차 더하고 빼는 규칙

주어진 규칙에 따라 빈칸에 알맞은 수를 써넣으세요.

1020부터 오른쪽으로 100씩 커집니다.

1020 — 1120 — 1220 — 1320 — 1420 — 1520

100씩 커지는 것은 백의 자리 숫자가 1씩 커지는 것과 같습니다.

9559부터 오른쪽으로 1001씩 작아집니다.

9559 — 8558 — 7557 — 6556 — 5555 — 4554

123부터 왼쪽으로 50씩 커집니다.

373 — 323 — 273 — 223 — 173 — 123

왼쪽으로 커지면 오른쪽으로 작아지고, 왼쪽으로 작아지면 오른쪽으로 커집니다.

1000부터 왼쪽으로 110씩 작아집니다.

450 — 560 — 670 — 780 — 890 — 1000

8 교과특강_D3

월 일

수 배열에서 규칙을 찾아 빈칸에 알맞은 수를 써넣으세요.

3204 — 3304 — 3404 — 3504 — 3604 — 3704

각 자리의 숫자가 바뀌는 것을 살펴봅니다. 백의 자리 숫자가 오른쪽으로 1씩 커지므로 3204부터 오른쪽으로 100씩 커집니다.

1012 — 1022 — 1032 — 1042 — 1052 — 1062

십의 자리 숫자가 오른쪽으로 1씩 커지므로 1012부터 오른쪽으로 10씩 커집니다.

190 — 179 — 168 — 157 — 146 — 135

십의 자리 숫자와 일의 자리 숫자를 살펴보면 190부터 오른쪽으로 11씩 작아집니다.

1929 — 2939 — 3949 — 4959 — 5969 — 6979

천의 자리 숫자와 십의 자리 숫자가 오른쪽으로 각각 1씩 커지므로 1929부터 오른쪽으로 1010씩 커집니다.

4035 — 3535 — 3035 — 2535 — 2035 — 1535

천의 자리 숫자와 백의 자리 숫자를 살펴보면 4035부터 오른쪽으로 500씩 작아집니다.

6543 — 5443 — 4343 — 3243 — 2143 — 1043

천의 자리 숫자와 백의 자리 숫자가 오른쪽으로 각각 1씩 작아지므로 6543부터 오른쪽으로 1100씩 작아집니다.

1주차_수 배열 규칙 9

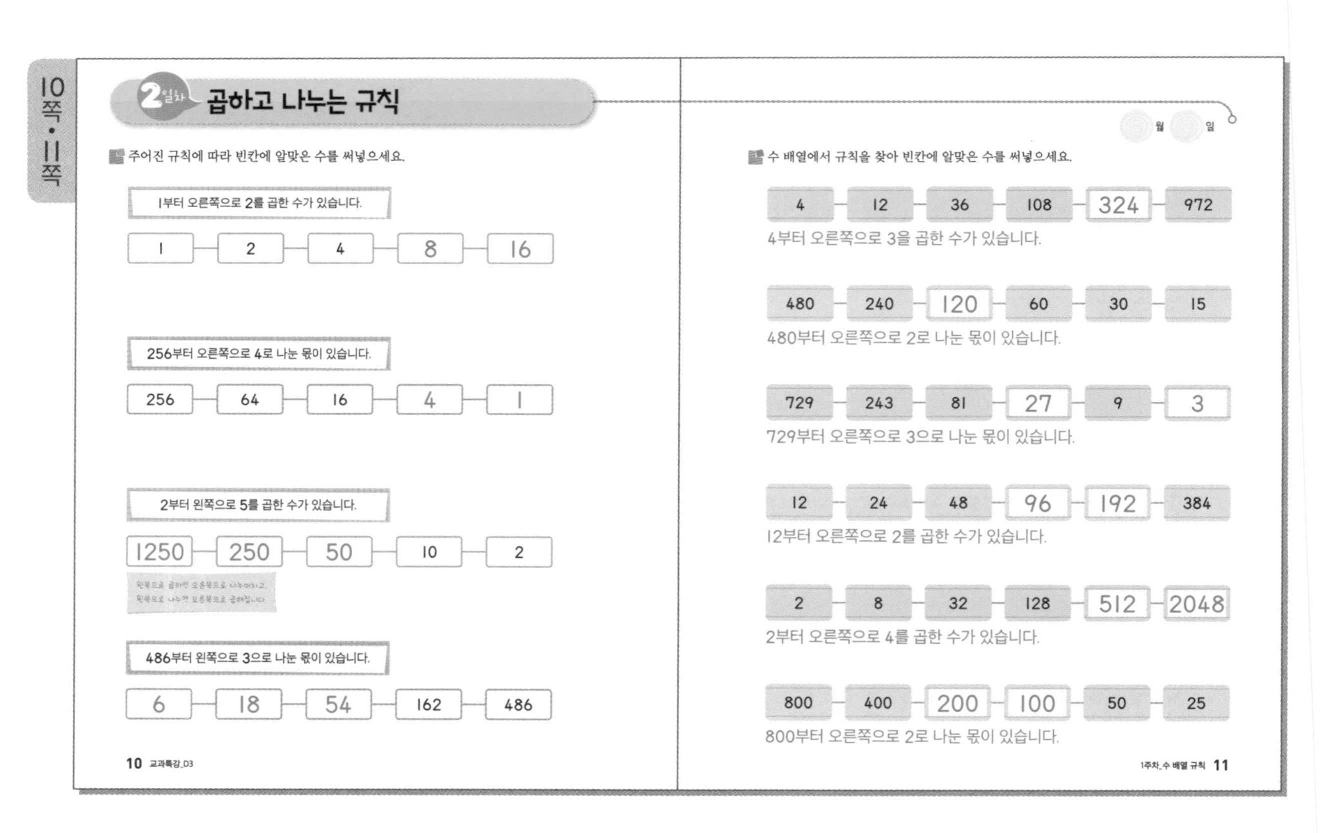

10쪽 · 11쪽

2일차 곱하고 나누는 규칙

주어진 규칙에 따라 빈칸에 알맞은 수를 써넣으세요.

1부터 오른쪽으로 2를 곱한 수가 있습니다.

1 — 2 — 4 — 8 — 16

256부터 오른쪽으로 4로 나눈 몫이 있습니다.

256 — 64 — 16 — 4 — 1

2부터 왼쪽으로 5를 곱한 수가 있습니다.

1250 — 250 — 50 — 10 — 2

왼쪽으로 곱하면 오른쪽으로 나누어지고, 왼쪽으로 나누면 오른쪽으로 곱해집니다.

486부터 왼쪽으로 3으로 나눈 몫이 있습니다.

6 — 18 — 54 — 162 — 486

10 교과특강_D3

월 일

수 배열에서 규칙을 찾아 빈칸에 알맞은 수를 써넣으세요.

4 — 12 — 36 — 108 — 324 — 972

4부터 오른쪽으로 3을 곱한 수가 있습니다.

480 — 240 — 120 — 60 — 30 — 15

480부터 오른쪽으로 2로 나눈 몫이 있습니다.

729 — 243 — 81 — 27 — 9 — 3

729부터 오른쪽으로 3으로 나눈 몫이 있습니다.

12 — 24 — 48 — 96 — 192 — 384

12부터 오른쪽으로 2를 곱한 수가 있습니다.

2 — 8 — 32 — 128 — 512 — 2048

2부터 오른쪽으로 4를 곱한 수가 있습니다.

800 — 400 — 200 — 100 — 50 — 25

800부터 오른쪽으로 2로 나눈 몫이 있습니다.

1주차_수 배열 규칙 11

12쪽·13쪽

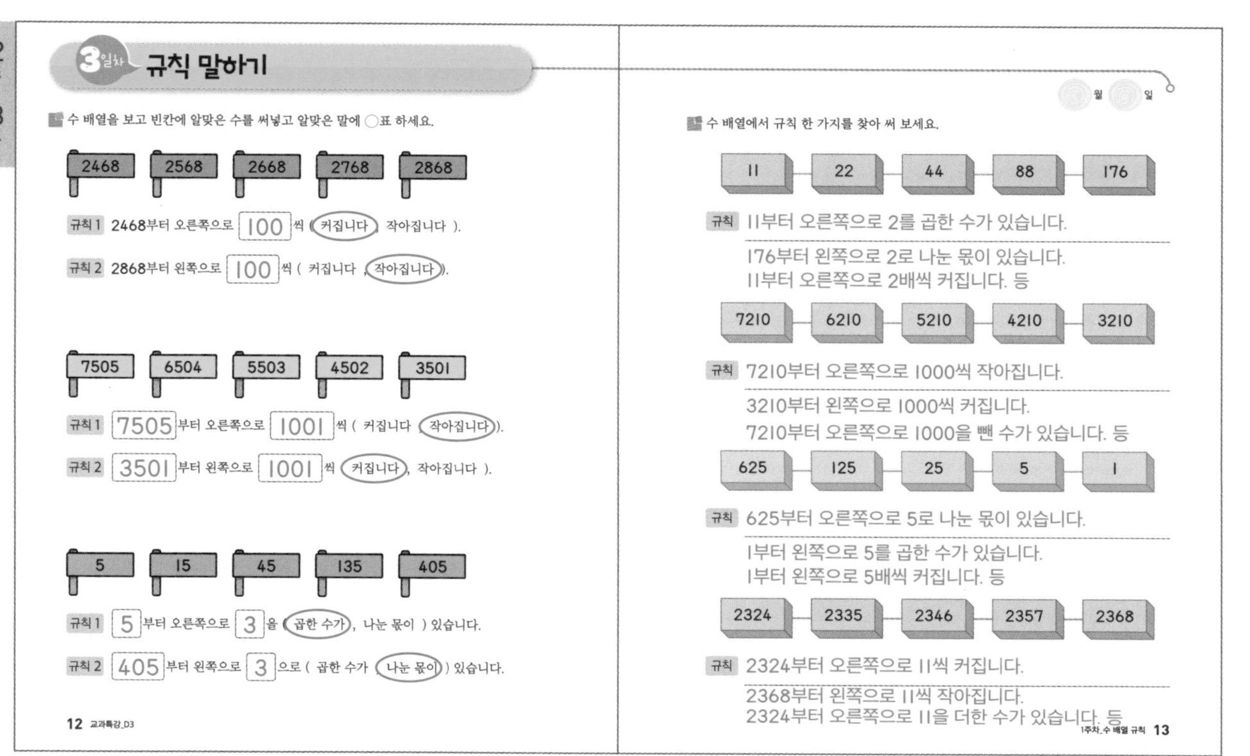

3일차 규칙 말하기

수 배열을 보고 빈칸에 알맞은 수를 써넣고 알맞은 말에 ○표 하세요.

2468 2568 2668 2768 2868

규칙 1 2468부터 오른쪽으로 100씩 (커집니다, 작아집니다). — 커집니다 ○

규칙 2 2868부터 왼쪽으로 100씩 (커집니다, 작아집니다). — 작아집니다 ○

7505 6504 5503 4502 3501

규칙 1 7505부터 오른쪽으로 1001씩 (커집니다, 작아집니다). — 작아집니다 ○

규칙 2 3501부터 왼쪽으로 1001씩 (커집니다, 작아집니다). — 커집니다 ○

5 15 45 135 405

규칙 1 5부터 오른쪽으로 3을 (곱한 수가, 나눈 몫이) 있습니다. — 곱한 수가 ○

규칙 2 405부터 왼쪽으로 3으로 (곱한 수가, 나눈 몫이) 있습니다. — 나눈 몫이 ○

월 일

수 배열에서 규칙 한 가지를 찾아 써 보세요.

11 22 44 88 176

규칙 11부터 오른쪽으로 2를 곱한 수가 있습니다.
176부터 왼쪽으로 2로 나눈 몫이 있습니다.
11부터 오른쪽으로 2배씩 커집니다. 등

7210 6210 5210 4210 3210

규칙 7210부터 오른쪽으로 1000씩 작아집니다.
3210부터 왼쪽으로 1000씩 커집니다.
7210부터 오른쪽으로 1000을 뺀 수가 있습니다. 등

625 125 25 5 1

규칙 625부터 오른쪽으로 5로 나눈 몫이 있습니다.
1부터 왼쪽으로 5를 곱한 수가 있습니다.
1부터 왼쪽으로 5배씩 커집니다. 등

2324 2335 2346 2357 2368

규칙 2324부터 오른쪽으로 11씩 커집니다.
2368부터 왼쪽으로 11씩 작아집니다.
2324부터 오른쪽으로 11을 더한 수가 있습니다. 등

14쪽·15쪽

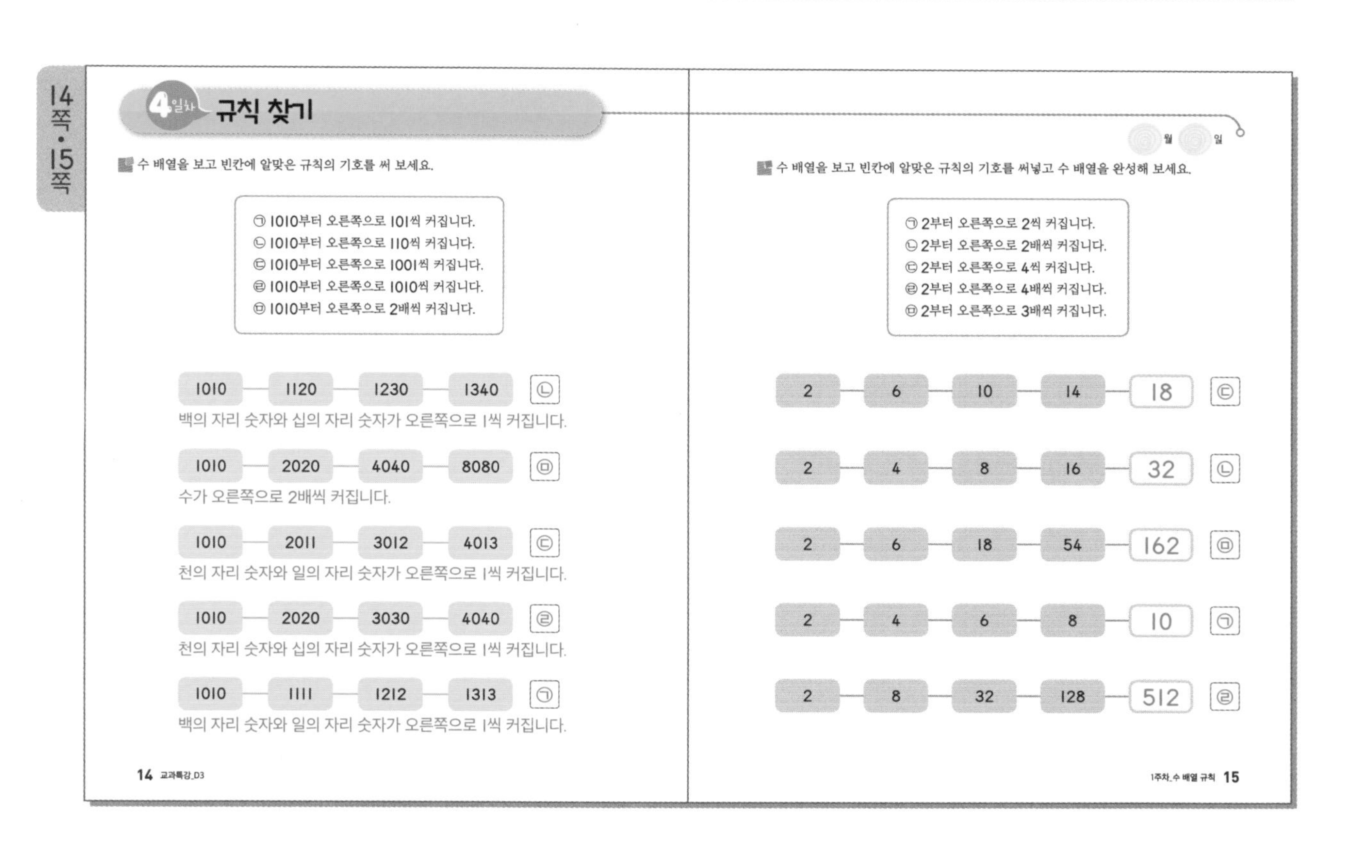

4일차 규칙 찾기

수 배열을 보고 빈칸에 알맞은 규칙의 기호를 써 보세요.

㉠ 1010부터 오른쪽으로 101씩 커집니다.
㉡ 1010부터 오른쪽으로 110씩 커집니다.
㉢ 1010부터 오른쪽으로 1001씩 커집니다.
㉣ 1010부터 오른쪽으로 1010씩 커집니다.
㉤ 1010부터 오른쪽으로 2배씩 커집니다.

1010 — 1120 — 1230 — 1340 [㉡]
백의 자리 숫자와 십의 자리 숫자가 오른쪽으로 1씩 커집니다.

1010 — 2020 — 4040 — 8080 [㉤]
수가 오른쪽으로 2배씩 커집니다.

1010 — 2011 — 3012 — 4013 [㉢]
천의 자리 숫자와 일의 자리 숫자가 오른쪽으로 1씩 커집니다.

1010 — 2020 — 3030 — 4040 [㉣]
천의 자리 숫자와 십의 자리 숫자가 오른쪽으로 1씩 커집니다.

1010 — 1111 — 1212 — 1313 [㉠]
백의 자리 숫자와 일의 자리 숫자가 오른쪽으로 1씩 커집니다.

월 일

수 배열을 보고 빈칸에 알맞은 규칙의 기호를 써넣고 수 배열을 완성해 보세요.

㉠ 2부터 오른쪽으로 2씩 커집니다.
㉡ 2부터 오른쪽으로 2배씩 커집니다.
㉢ 2부터 오른쪽으로 4씩 커집니다.
㉣ 2부터 오른쪽으로 4배씩 커집니다.
㉤ 2부터 오른쪽으로 3배씩 커집니다.

2 — 6 — 10 — 14 — [18] [㉢]

2 — 4 — 8 — 16 — [32] [㉡]

2 — 6 — 18 — 54 — [162] [㉤]

2 — 4 — 6 — 8 — [10] [㉠]

2 — 8 — 32 — 128 — [512] [㉣]

정답

16쪽·17쪽

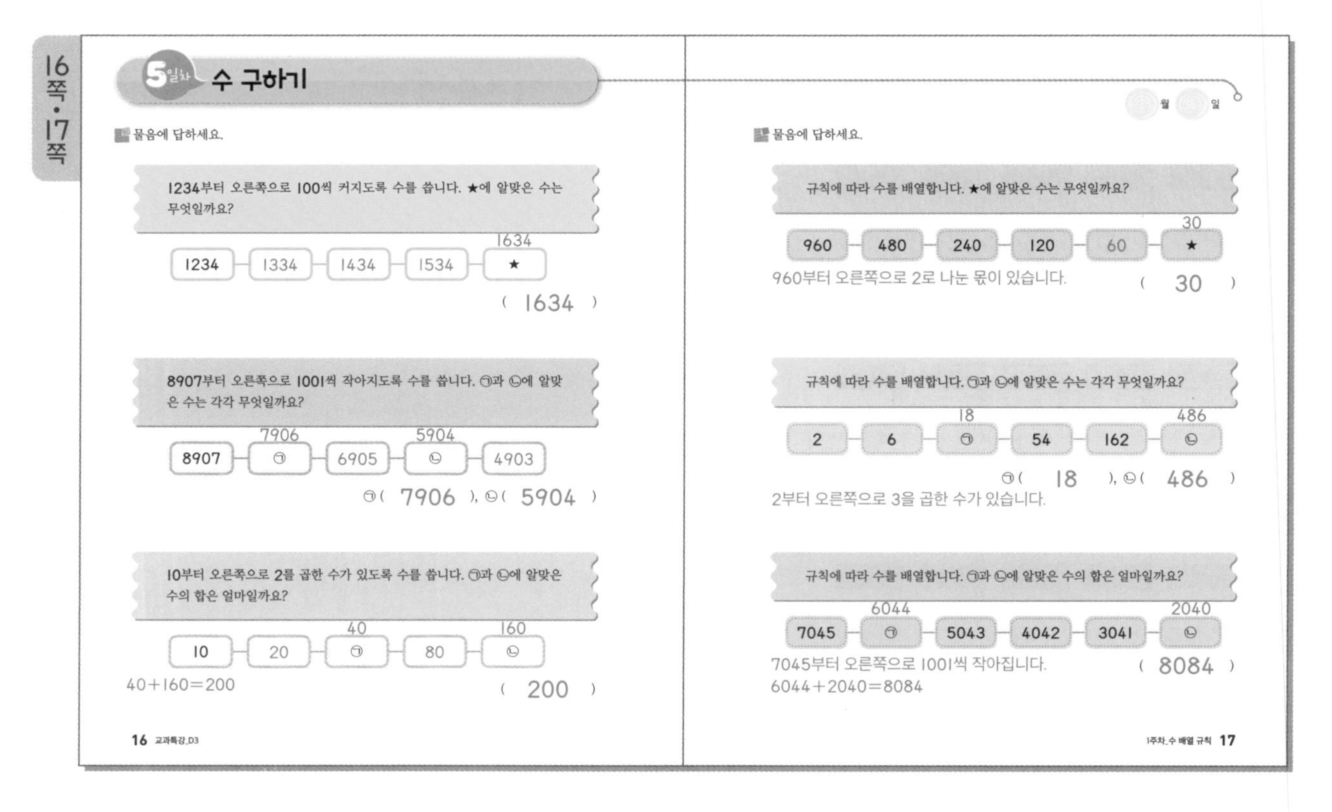

5일차 수 구하기

물음에 답하세요.

1234부터 오른쪽으로 100씩 커지도록 수를 씁니다. ★에 알맞은 수는 무엇일까요?

1234 – 1334 – 1434 – 1534 – ★(1634)

(1634)

8907부터 오른쪽으로 1001씩 작아지도록 수를 씁니다. ㉠과 ㉡에 알맞은 수는 각각 무엇일까요?

8907 – ㉠(7906) – 6905 – ㉡(5904) – 4903

㉠(7906), ㉡(5904)

10부터 오른쪽으로 2를 곱한 수가 있도록 수를 씁니다. ㉠과 ㉡에 알맞은 수의 합은 얼마일까요?

10 – 20 – ㉠(40) – 80 – ㉡(160)

40+160=200

(200)

16 교과특강_D3

월 일

물음에 답하세요.

규칙에 따라 수를 배열합니다. ★에 알맞은 수는 무엇일까요?

960 – 480 – 240 – 120 – 60 – ★(30)

960부터 오른쪽으로 2로 나눈 몫이 있습니다.

(30)

규칙에 따라 수를 배열합니다. ㉠과 ㉡에 알맞은 수는 각각 무엇일까요?

2 – 6 – ㉠(18) – 54 – 162 – ㉡(486)

㉠(18), ㉡(486)

2부터 오른쪽으로 3을 곱한 수가 있습니다.

규칙에 따라 수를 배열합니다. ㉠과 ㉡에 알맞은 수의 합은 얼마일까요?

7045 – ㉠(6044) – 5043 – 4042 – 3041 – ㉡(2040)

7045부터 오른쪽으로 1001씩 작아집니다.

6044+2040=8084

(8084)

1주차_수 배열 규칙 17

18쪽

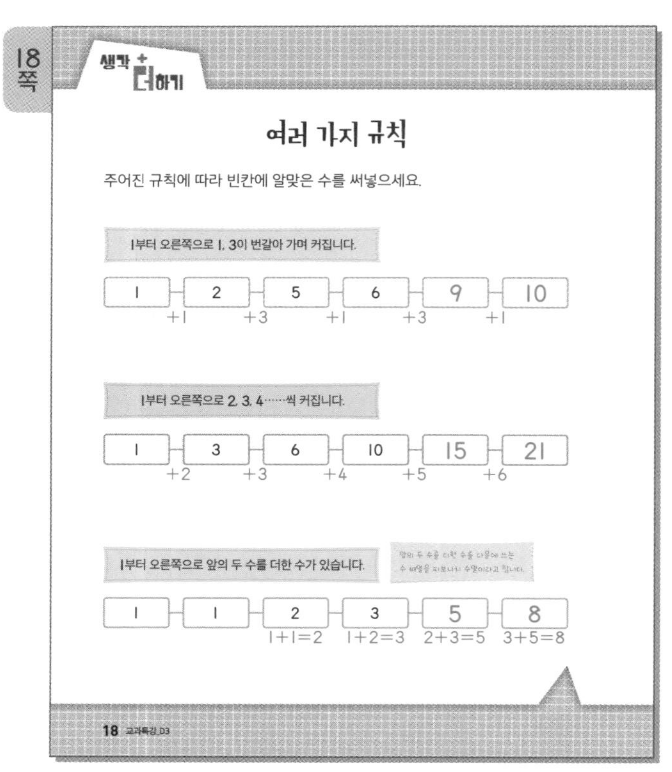

생각 더하기

여러 가지 규칙

주어진 규칙에 따라 빈칸에 알맞은 수를 써넣으세요.

1부터 오른쪽으로 1, 3이 번갈아 가며 커집니다.

1 – 2 – 5 – 6 – 9 – 10

+1 +3 +1 +3 +1

1부터 오른쪽으로 2, 3, 4……씩 커집니다.

1 – 3 – 6 – 10 – 15 – 21

+2 +3 +4 +5 +6

1부터 오른쪽으로 앞의 두 수를 더한 수가 있습니다.

앞의 두 수를 더한 수를 다음에 쓰는 수 배열을 피보나치 수열이라고 합니다.

1 – 1 – 2 – 3 – 5 – 8

1+1=2 1+2=3 2+3=5 3+5=8

18 교과특강_D3

2주차: 수 배열표 규칙

20쪽 · 21쪽

1일차 수 배열표 규칙

■ 주어진 규칙에 따라 빈칸에 알맞은 수를 써넣어 수 배열표를 완성해 보세요.

오른쪽으로 2씩 커지고, 아래쪽으로 100씩 작아집니다.

400	402	404	406	408
300	302	304	306	308
200	202	204	206	208
100	102	104	106	108

오른쪽으로 1씩 커지고, 아래쪽으로 1000씩 커집니다.

1111	1112	1113	1114	1115
2111	2112	2113	2114	2115
3111	3112	3113	3114	3115
4111	4112	4113	4114	4115

오른쪽으로 20씩 커지고, 아래쪽으로 5씩 커집니다.

350	370	390	410	430
355	375	395	415	435
360	380	400	420	440
365	385	405	425	445

월 일

■ 수 배열표에서 규칙을 찾아 빈칸에 알맞은 수를 써넣으세요.

101	201	301	401	501
111	211	311	411	511
121	221	321	421	521
131	231	331	431	531
141	241	341	441	541

오른쪽으로 100씩 커지고, 아래쪽으로 10씩 커집니다.

2008	2006	2004	2002	2000
2108	2106	2104	2102	2100
2208	2206	2204	2202	2200
2308	2306	2304	2302	2300
2408	2406	2404	2402	2400

오른쪽으로 2씩 작아지고, 아래쪽으로 100씩 커집니다.

50100	50101	50102	50103	50104
40100	40101	40102	40103	40104
30100	30101	30102	30103	30104
20100	20101	20102	20103	20104
10100	10101	10102	10103	10104

오른쪽으로 1씩 커지고, 아래쪽으로 10000씩 작아집니다.

22쪽 · 23쪽

2일차 규칙 말하기

■ □과 ■ 칸에서 규칙을 찾아 빈칸에 알맞은 수를 써넣으세요.

1101	1102	1103	1104	1105
1201	1202	1203	1204	1205
1301	1302	1303	1304	1305
1401	1402	1403	1404	1405
1501	1502	1503	1504	1505

규칙 1 □으로 표시된 칸은 1201부터 오른쪽으로 1 씩 커집니다.

규칙 2 ■으로 표시된 칸은 1101 부터 아래쪽으로 100 씩 커집니다.

120	220	320	420	520
130	230	330	430	530
140	240	340	440	540
150	250	350	450	550
160	260	360	460	560

규칙 1 □으로 표시된 칸은 120부터 ↘ 방향으로 110 씩 커집니다.

규칙 2 ■으로 표시된 칸은 520 부터 ↙ 방향으로 90 씩 작아집니다.

□: 백의 자리 숫자와 십의 자리 숫자가 각각 1씩 커지므로 110씩 커집니다.

■: 백의 자리 숫자는 1씩 작아지고 십의 자리 숫자는 1씩 커지므로 90씩 작아집니다.

월 일

■ □과 ■ 칸에서 규칙을 찾아 써 보세요.

5211	5221	5231	5241	5251
4211	4221	4231	4241	4251
3211	3221	3231	3241	3251
2211	2221	2231	2241	2251
1211	1221	1231	1241	1251

규칙 1 □으로 표시된 칸은 5211부터 오른쪽으로 10씩 커집니다.
또는 5251부터 왼쪽으로 10씩 작아집니다.

규칙 2 ■으로 표시된 칸은 5221부터 아래쪽으로 1000씩 작아집니다.
또는 1221부터 위쪽으로 1000씩 커집니다.

101	103	105	107	109
111	113	115	117	119
121	123	125	127	129
131	133	135	137	139
141	143	145	147	149

규칙 1 □으로 표시된 칸은 101부터 ↘ 방향으로 12씩 커집니다.
또는 149부터 ↖ 방향으로 12씩 작아집니다.

규칙 2 ■으로 표시된 칸은 109부터 ↙ 방향으로 8씩 커집니다.
또는 141부터 ↗ 방향으로 8씩 작아집니다.

24쪽·25쪽

3일차 찢어진 수 배열표

1 수 배열표의 일부가 찢어졌습니다. 규칙을 찾아 ?에 알맞은 수를 구해 보세요.

153	154	155	156	157
353	354	355	356	
553	554	555	556	
753	754	755	756	757
953			956	?

(957)

오른쪽으로 1씩 커지고, 아래쪽으로 200씩 커집니다.

2955	2855	2755	2655	
2956	2856	2756	2656	
2957	2857	2757	2657	
2958	2858	2758	2658	2558
			2659	?

(2559)

오른쪽으로 100씩 작아지고, 아래쪽으로 1씩 커집니다.

	10112	10212	10312	10412
	20112	20212	20312	20412
	30112	30212	30312	30412
40012	40112	40212	40312	40412
?	50112			

(50012)

왼쪽으로 100씩 작아지고(오른쪽으로 100씩 커지고), 아래쪽으로 10000씩 커집니다

월 일

1 수 배열표의 일부입니다. 규칙을 찾아 색칠된 칸에 알맞은 수를 써넣으세요.

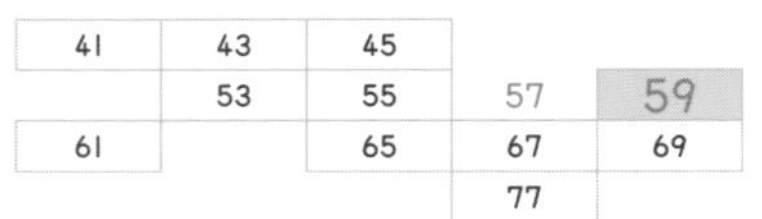

41	43	45		
	53	55	57	59
61		65	67	69
			77	

오른쪽으로 2씩 커지고, 아래쪽으로 10씩 커집니다.

703	713	723	733	
603		623	633	
503	513		533	543
403	413			

오른쪽으로 10씩 커지고, 아래쪽으로 100씩 작아집니다.

115	165	215	265	315
116	166	216	266	316
117	167		267	
			268	

오른쪽으로 50씩 커지고, 아래쪽으로 1씩 커집니다.

1412		1414	1415	1416
	2413	2414	2415	2416
3412	3413	3414		3416
	4413	4414		

오른쪽으로 1씩 커지고, 아래쪽으로 1000씩 커집니다.

26쪽·27쪽

4일차 문자와 수의 규칙

1 문자와 수를 배열한 표입니다. 규칙을 찾아 ▲과 ★에 알맞은 수를 각각 구해 보세요.

A1	A2	A3	A4	A5	A6
B1	B2	B3	B4	B5	B6
C1	C2	▲	C4	C5	C6
D1	D2	D3	D4	★	D6

▲(C3)
★(D5)

오른쪽으로 수가 1씩 커지고, 아래쪽으로 알파벳이 A, B, C……순서로 바뀝니다.

가11	나11	다11	라11	마11	바11
가12	나12	다12	라12	마12	▲
가13	나13	다13	라13	마13	바13
가14	나14	다14	★	마14	바14

▲(바12)
★(라14)

오른쪽으로 글자가 가, 나, 다…… 순서로 바뀌고, 아래쪽으로 수가 1씩 커집니다.

A401	B401	C401	D401	E401	F401
A301	B301		▲	E301	F301
A201	B201	C201			
A101	B101	C101	D101		★

▲(D301)
★(F101)

오른쪽으로 알파벳이 A, B, C……순서로 바뀌고, 아래쪽으로 수가 100씩 작아집니다.

가15	가16	가17	가18		가20
나15	나16	나17		★	나20
	▲		다18		다20
라15		라17	라18	라19	라20

▲(다16)
★(나19)

오른쪽으로 수가 1씩 커지고, 아래쪽으로 글자가 가, 나, 다…… 순서로 바뀝니다.

월 일

2 물음에 답하세요.

기차 좌석 배치도에서 ◆ 표시된 곳은 민하의 좌석입니다. 규칙을 찾아 민하의 좌석 번호를 구해 보세요.

기차 좌석 배치도

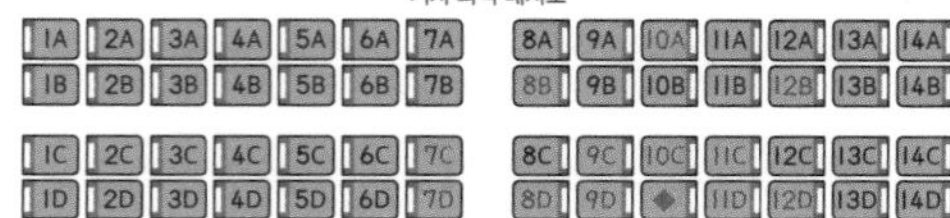

(10D)

오른쪽으로 수가 1씩 커지고,
아래쪽으로 알파벳이 A, B, C……순서로 바뀝니다.

극장 좌석 배치도에서 ★ 표시된 곳은 성규의 좌석입니다. 규칙을 찾아 성규의 좌석 번호를 구해 보세요.

극장 좌석 배치도

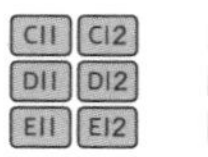

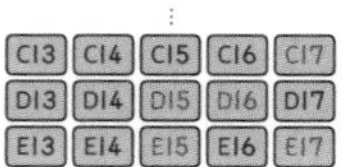

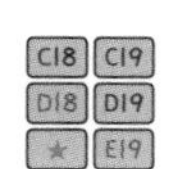

(E18)

오른쪽으로 수가 1씩 커지고,
아래쪽으로 알파벳이 C, D, E……순서로 바뀝니다.

28쪽·29쪽

5일차 곱과 몫의 규칙

곱셈을 이용한 수 배열표입니다. 규칙을 찾아 ■과 ▲에 알맞은 수를 각각 구해 보세요.

	11	12	13	14	15
1	11	12	13	14	15
2	22	24	26	28	30
3	33	36	39	42	45
4	44	48	52	56	60
5	55	60	■	70	75
6	66	72	78	84	▲

■(65), ▲(90)

위쪽과 왼쪽에 있는 수를 곱하여 씁니다.
수 배열표를 보면 오른쪽으로 첫째 줄부터 1, 2, 3……씩 커지고,
아래쪽으로 첫째 줄부터 11, 12, 13……씩 커집니다.

	11	22	33	44	55
2	2	4	6	8	0
3	3	6	9	2	5
4	4	8	2	6	0
5	5	0	5	0	5
6	6	2	8	4	■
7	7	4	1	▲	5

■(0), ▲(8)

위쪽과 왼쪽에 있는 수를 곱하여 곱의 일의 자리를 씁니다.
수 배열표를 보면 오른쪽으로 첫째 줄부터 2, 3, 4……씩 커지고,
아래쪽으로 첫째 줄부터 1, 2, 3……씩 커지는데 일의 자리 숫자만 씁니다.

월 일

나눗셈을 이용한 수 배열표입니다. 규칙을 찾아 ●과 ★에 알맞은 수를 각각 구해 보세요.

	1	2	4	8	16
16	16	8	4	2	1
32	32	16	8	4	2
48	48	24	12	6	3
64	64	32	16	●	4
80	80	40	20	10	5
96	96	48	★	12	6

●(8), ★(24)

왼쪽에 있는 수를 위쪽에 있는 수로 나눈 몫을 씁니다.
수 배열표를 보면 오른쪽으로 2로 나눈 몫이 있고,
아래쪽으로 첫째 줄부터 16, 8, 4, 2, 1씩 커집니다.

	10	11	12	13	14
2	0	1	0	1	0
3	1	2	0	1	2
4	2	3	0	1	●
5	0	1	2	3	4
6	4	5	★	1	2
7	3	4	5	6	0

●(2), ★(0)

위쪽에 있는 수를 왼쪽에 있는 수로 나누었을 때의 나머지를 씁니다.
수 배열표를 보면 오른쪽으로 1씩 커지다가 가장 왼쪽에 있는 수가
될 차례에 0이 됩니다.

30쪽

생각+더하기

자물쇠 비밀번호

자물쇠의 비밀번호는 수 배열표에서 색칠된 칸에 들어가는 수입니다. 수 배열표에서 규칙을 찾아 자물쇠의 비밀번호를 구해 보세요.

10101	11102	12103	13104	
20101	21102	22103	23104	
30101	31102	32103	33104	
40101	41102	42103	43104	44105
			53104	54105

각 자리 숫자가 어떻게 바뀌는지 살펴봅니다.
오른쪽으로 천의 자리 숫자와 일의 자리 숫자가 각각 1씩 커지므로 1001씩 커지고,
아래쪽으로 만의 자리 숫자가 1씩 커지므로 10000씩 커집니다.

3주차: 덧셈과 뺄셈 규칙

1일차 합이 같은 덧셈식

■ 덧셈식의 규칙에 따라 빈칸에 알맞은 수를 써넣으세요.

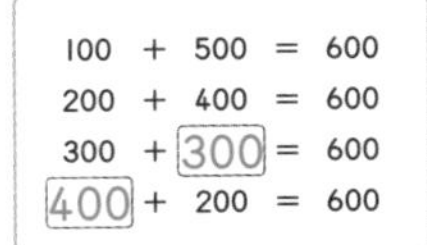

100 + 500 = 600
200 + 400 = 600
300 + [300] = 600
[400] + 200 = 600

더해지는 수는 100씩 커지고
더하는 수는 100씩 작아집니다.

107 + 91 = 198
117 + 81 = 198
[127] + 71 = 198
137 + 61 = [198]

더해지는 수는 10씩 커지고
더하는 수는 10씩 작아집니다.

214 + 50 = 264
213 + 51 = 264
212 + 52 = [264]
211 + [53] = 264

더해지는 수는 1씩 작아지고
더하는 수는 1씩 커집니다.

831 + 120 = 951
731 + 220 = 951
[631] + 320 = 951
531 + [420] = 951

더해지는 수는 100씩 작아지고
더하는 수는 100씩 커집니다.

더해지는 수가 커지는(작아지는) 만큼 더하는 수가 작아지면(커지면) 계산 결과는 같습니다.

더해지는 수 더하는 수
10 + 90 = 100
20 + 80 = 100
30 + 70 = 100
40 + 60 = 100

더해지는 수가 10씩 커지고
더하는 수가 10씩 작아지면
계산 결과는 같습니다.

월 일

■ 덧셈식의 규칙에 따라 빈칸에 알맞은 식을 써넣으세요.

101 + 403 = 504
201 + 303 = 504
301 + 203 = 504
[401+103=504]

더해지는 수는 100씩 커지고
더하는 수는 100씩 작아집니다.

260 + 30 = 290
250 + 40 = 290
240 + 50 = 290
[230+60=290]

더해지는 수는 10씩 작아지고
더하는 수는 10씩 커집니다.

10 + 65 = 75
15 + 60 = 75
20 + 55 = 75
[25+50=75]

더해지는 수는 5씩 커지고
더하는 수는 5씩 작아집니다.

652 + 210 = 862
552 + 310 = 862
452 + 410 = 862
[352+510=862]

더해지는 수는 100씩 작아지고
더하는 수는 100씩 커집니다.

103 + 97 = 200
113 + 87 = 200
123 + 77 = 200
[133+67=200]

더해지는 수는 10씩 커지고
더하는 수는 10씩 작아집니다.

316 + 111 = 427
314 + 113 = 427
312 + 115 = 427
[310+117=427]

더해지는 수는 2씩 작아지고
더하는 수는 2씩 커집니다.

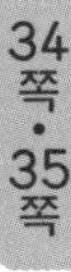

2일차 덧셈식 규칙

■ 규칙에 맞는 덧셈식을 찾아 이어 보고 규칙에 따라 빈칸에 알맞은 식을 써넣으세요.

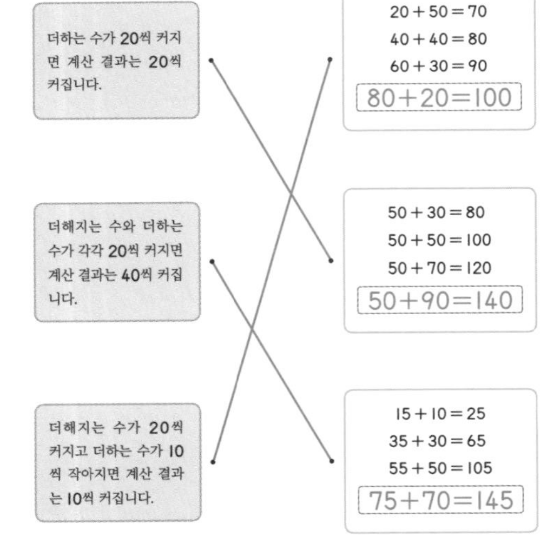

더하는 수가 20씩 커지면 계산 결과는 20씩 커집니다.
더해지는 수와 더하는 수가 각각 20씩 커지면 계산 결과는 40씩 커집니다.
더해지는 수가 20씩 커지고 더하는 수가 10씩 작아지면 계산 결과는 10씩 커집니다.
20 + 50 = 70
40 + 40 = 80
60 + 30 = 90
[80+20=100]
50 + 30 = 80
50 + 50 = 100
50 + 70 = 120
[50+90=140]
15 + 10 = 25
35 + 30 = 65
55 + 50 = 105
[75+70=145]

월 일

■ 덧셈식을 보고 빈칸에 알맞은 수 또는 식을 써넣으세요.

150 + 31 = 181
250 + 32 = 282
350 + 33 = 383
[450+34=484]

규칙
더해지는 수가 [100]씩 커지고
더하는 수가 [1]씩 커지면
계산 결과는 [101]씩 커집니다.

220 + 150 = 370
320 + 250 = 570
420 + 350 = 770
[520+450=970]

규칙
더해지는 수가 [100]씩 커지고
더하는 수가 [100]씩 커지면
계산 결과는 [200]씩 커집니다.

421 + 80 = 501
431 + 60 = 491
441 + 40 = 481
[451+20=471]

규칙
더해지는 수가 [10]씩 커지고
더하는 수가 [20]씩 작아지면
계산 결과는 [10]씩 작아집니다.

36쪽 · 37쪽

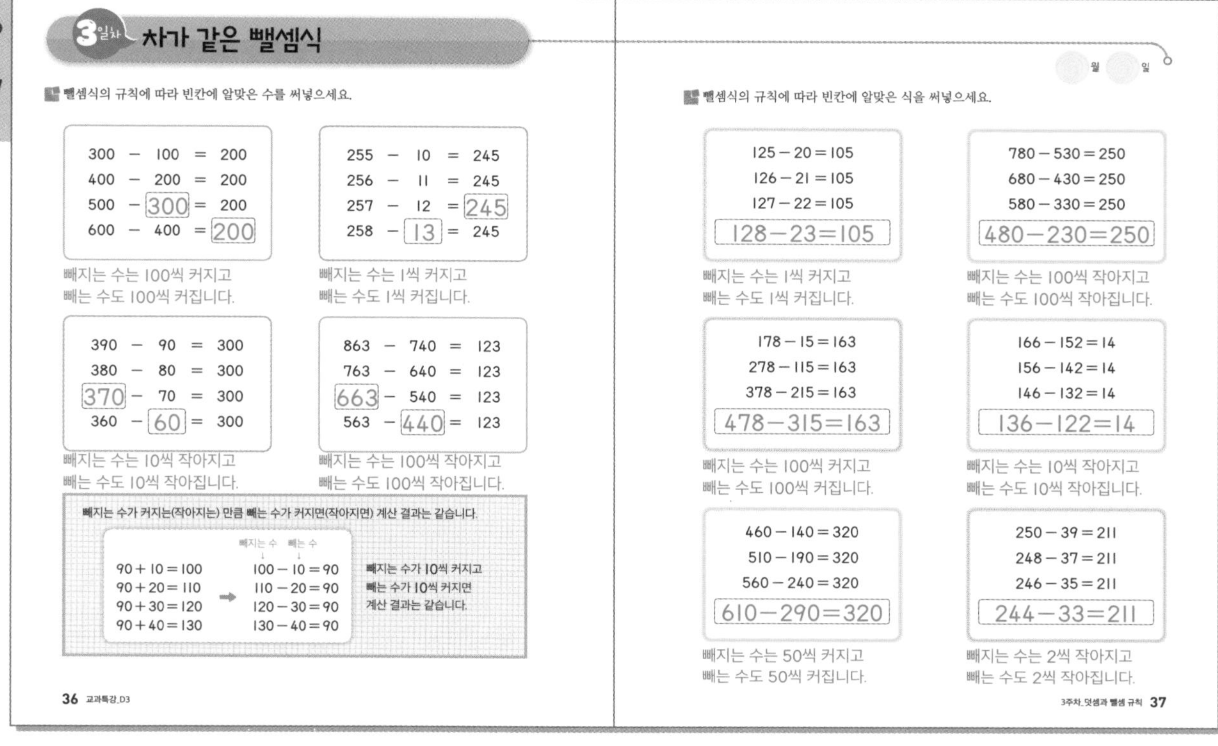

3일차 차가 같은 뺄셈식

■ 뺄셈식의 규칙에 따라 빈칸에 알맞은 수를 써넣으세요.

300 − 100 = 200
400 − 200 = 200
500 − [300] = 200
600 − 400 = [200]

빼지는 수는 100씩 커지고
빼는 수도 100씩 커집니다.

255 − 10 = 245
256 − 11 = 245
257 − 12 = [245]
258 − [13] = 245

빼지는 수는 1씩 커지고
빼는 수도 1씩 커집니다.

390 − 90 = 300
380 − 80 = 300
[370] − 70 = 300
360 − [60] = 300

빼지는 수는 10씩 작아지고
빼는 수도 10씩 작아집니다.

863 − 740 = 123
763 − 640 = 123
[663] − 540 = 123
563 − [440] = 123

빼지는 수는 100씩 작아지고
빼는 수도 100씩 작아집니다.

빼지는 수가 커지는(작아지는) 만큼 빼는 수가 커지면(작아지면) 계산 결과는 같습니다.

90+10=100	→	100−10=90
90+20=110		110−20=90
90+30=120		120−30=90
90+40=130		130−40=90

빼지는 수가 10씩 커지고
빼는 수가 10씩 커지면
계산 결과는 같습니다.

월 일

■ 뺄셈식의 규칙에 따라 빈칸에 알맞은 식을 써넣으세요.

125 − 20 = 105
126 − 21 = 105
127 − 22 = 105
[128−23=105]

빼지는 수는 1씩 커지고
빼는 수도 1씩 커집니다.

780 − 530 = 250
680 − 430 = 250
580 − 330 = 250
[480−230=250]

빼지는 수는 100씩 작아지고
빼는 수도 100씩 작아집니다.

178 − 15 = 163
278 − 115 = 163
378 − 215 = 163
[478−315=163]

빼지는 수는 100씩 커지고
빼는 수도 100씩 커집니다.

166 − 152 = 14
156 − 142 = 14
146 − 132 = 14
[136−122=14]

빼지는 수는 10씩 작아지고
빼는 수도 10씩 작아집니다.

460 − 140 = 320
510 − 190 = 320
560 − 240 = 320
[610−290=320]

빼지는 수는 50씩 커지고
빼는 수도 50씩 커집니다.

250 − 39 = 211
248 − 37 = 211
246 − 35 = 211
[244−33=211]

빼지는 수는 2씩 작아지고
빼는 수도 2씩 작아집니다.

38쪽 · 39쪽

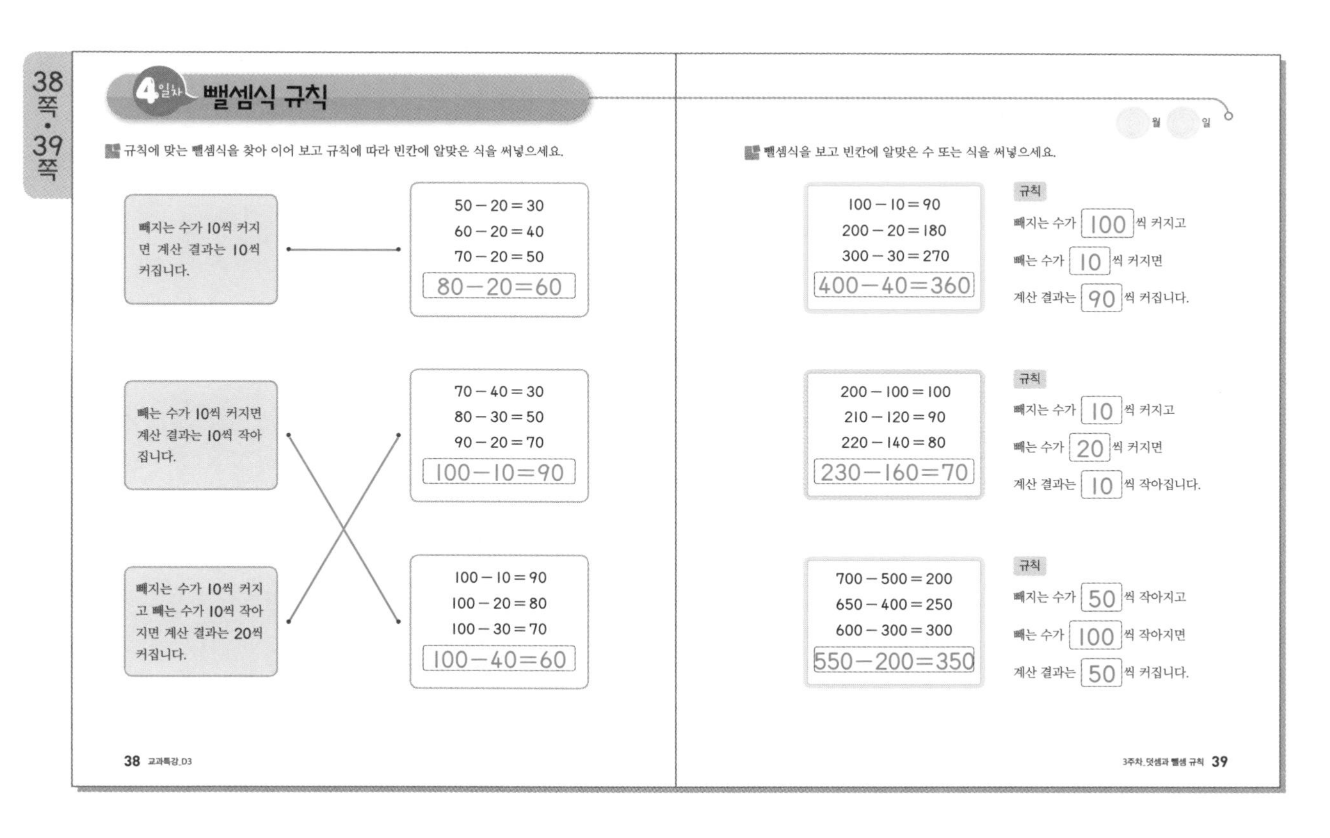

4일차 뺄셈식 규칙

■ 규칙에 맞는 뺄셈식을 찾아 이어 보고 규칙에 따라 빈칸에 알맞은 식을 써넣으세요.

빼지는 수가 10씩 커지면 계산 결과는 10씩 커집니다.

빼는 수가 10씩 커지면 계산 결과는 10씩 작아집니다.

빼지는 수가 10씩 커지고 빼는 수가 10씩 작아지면 계산 결과는 20씩 커집니다.

50 − 20 = 30
60 − 20 = 40
70 − 20 = 50
[80−20=60]

70 − 40 = 30
80 − 30 = 50
90 − 20 = 70
[100−10=90]

100 − 10 = 90
100 − 20 = 80
100 − 30 = 70
[100−40=60]

월 일

■ 뺄셈식을 보고 빈칸에 알맞은 수 또는 식을 써넣으세요.

100 − 10 = 90
200 − 20 = 180
300 − 30 = 270
[400−40=360]

규칙
빼지는 수가 [100]씩 커지고
빼는 수가 [10]씩 커지면
계산 결과는 [90]씩 커집니다.

200 − 100 = 100
210 − 120 = 90
220 − 140 = 80
[230−160=70]

규칙
빼지는 수가 [10]씩 커지고
빼는 수가 [20]씩 커지면
계산 결과는 [10]씩 작아집니다.

700 − 500 = 200
650 − 400 = 250
600 − 300 = 300
[550−200=350]

규칙
빼지는 수가 [50]씩 작아지고
빼는 수가 [100]씩 작아지면
계산 결과는 [50]씩 커집니다.

40쪽·41쪽

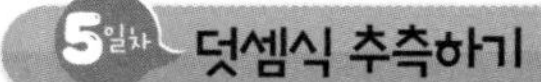

5일차 덧셈식 추측하기

■ 덧셈식의 규칙에 따라 빈칸에 알맞은 수 또는 식을 써넣으세요.

1+1=2
12+11=23
123+111=234
1234+1111=2345
12345+11111=23456

계산 결과 2, 23, 234……로 자릿수가 한 자리씩 늘어납니다.

876+123=999
765+123=888
654+123=777
543+123=666
432+123=555

더해지는 수의 각 자릿수가 1씩 작아집니다.

1+9=10
11+89=100
111+889=1000
1111+8889=10000
11111+88889=100000

더해지는 수는 1이 하나씩 늘어나고 더하는 수는 앞자리에 8이 하나씩 늘어납니다. 계산 결과는 끝자리에 0이 하나씩 늘어나 10배씩 커집니다.

12+21=33
123+321=444
1234+4321=5555
12345+54321=66666
123456+654321=777777

더해지는 수는 12, 123, 1234……로 자릿수가 한 자리씩 늘어나고 더하는 수는 더해지는 수를 반대로 씁니다. 계산 결과는 33, 444, 5555……로 자릿수가 한 자리씩 늘어납니다.

월 일

■ 물음에 답하세요.

덧셈식의 규칙에 따라 계산 결과가 49가 되는 덧셈식을 써 보세요.

1+3=4
1+3+5=9
1+3+5+7=16
1+3+5+7+9=25

(1+3+5+7+9+11+13=49)

1부터 연속된 홀수를 더하는 덧셈식입니다.
계산 결과는 2, 3, 4……를 두 번 곱한 수로 더한 수의 개수를 두 번 곱합니다.

덧셈식의 규칙에 따라 계산 결과가 999999가 되는 덧셈식을 써 보세요.

1+8=9
12+87=99
123+876=999
1234+8765=9999

(123456+876543=999999)

더해지는 수는 1, 12, 123……으로 자릿수가 한 자리씩 늘어나고
더하는 수는 8, 87, 876……으로 자릿수가 한 자리씩 늘어납니다.
계산 결과는 9가 하나씩 늘어납니다.

42쪽

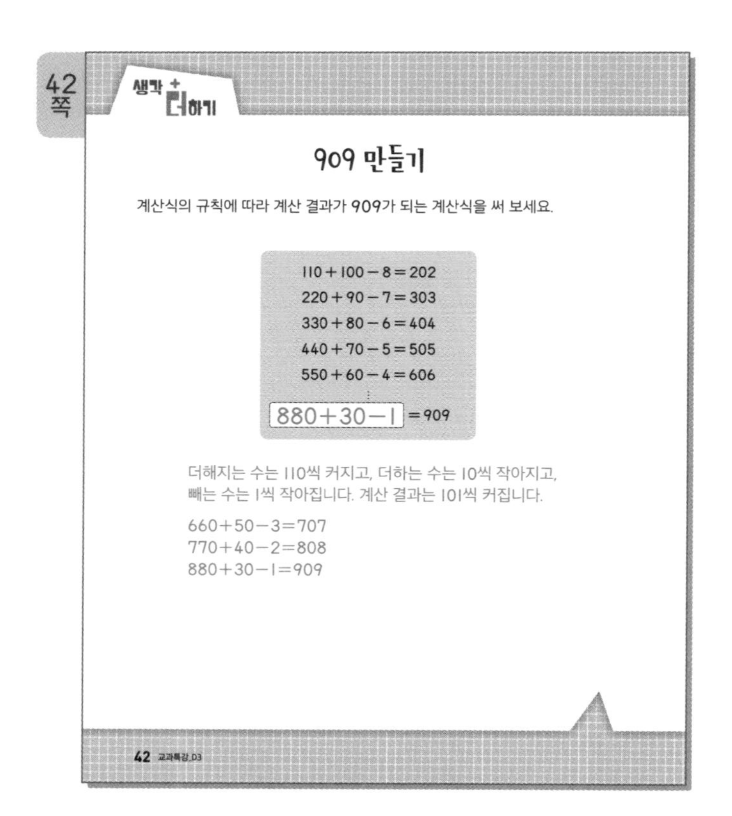

생각 더하기

909 만들기

계산식의 규칙에 따라 계산 결과가 909가 되는 계산식을 써 보세요.

110+100−8=202
220+90−7=303
330+80−6=404
440+70−5=505
550+60−4=606
⋮
880+30−1=909

더해지는 수는 110씩 커지고, 더하는 수는 10씩 작아지고,
빼는 수는 1씩 작아집니다. 계산 결과는 101씩 커집니다.

660+50−3=707
770+40−2=808
880+30−1=909

4주차: 곱셈과 나눗셈 규칙

44쪽·45쪽

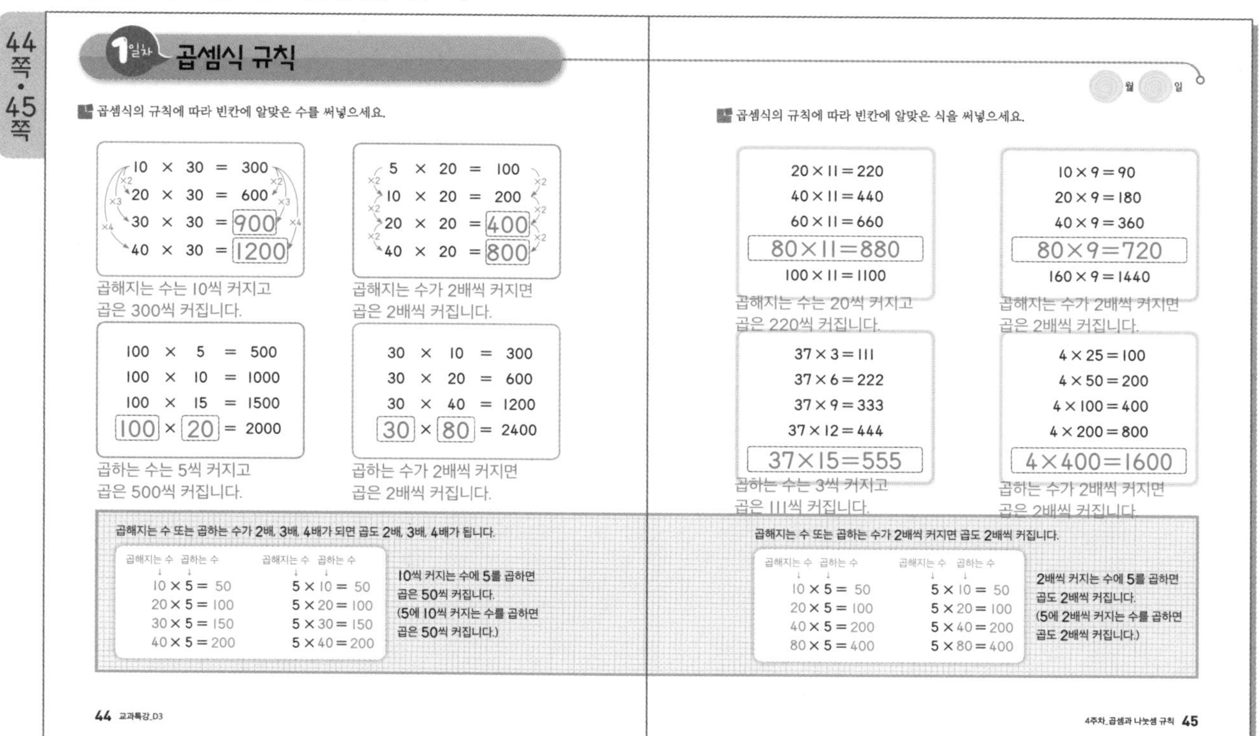

1일차 곱셈식 규칙

곱셈식의 규칙에 따라 빈칸에 알맞은 수를 써넣으세요.

10 × 30 = 300
20 × 30 = 600
30 × 30 = 900
40 × 30 = 1200
(×2, ×3, ×4)

곱해지는 수는 10씩 커지고
곱은 300씩 커집니다.

5 × 20 = 100
10 × 20 = 200
20 × 20 = 400
40 × 20 = 800
(×2, ×2, ×2)

곱해지는 수가 2배씩 커지면
곱은 2배씩 커집니다.

100 × 5 = 500
100 × 10 = 1000
100 × 15 = 1500
100 × 20 = 2000

곱하는 수는 5씩 커지고
곱은 500씩 커집니다.

30 × 10 = 300
30 × 20 = 600
30 × 40 = 1200
30 × 80 = 2400

곱하는 수가 2배씩 커지면
곱은 2배씩 커집니다.

곱해지는 수 또는 곱하는 수가 2배, 3배, 4배가 되면 곱도 2배, 3배, 4배가 됩니다.

곱해지는 수 × 곱하는 수	곱해지는 수 × 곱하는 수
10 × 5 = 50	5 × 10 = 50
20 × 5 = 100	5 × 20 = 100
30 × 5 = 150	5 × 30 = 150
40 × 5 = 200	5 × 40 = 200

10씩 커지는 수에 5를 곱하면 곱은 50씩 커집니다.
(5에 10씩 커지는 수를 곱하면 곱은 50씩 커집니다.)

월 일

곱셈식의 규칙에 따라 빈칸에 알맞은 식을 써넣으세요.

20 × 11 = 220
40 × 11 = 440
60 × 11 = 660
80 × 11 = 880
100 × 11 = 1100

곱해지는 수는 20씩 커지고
곱은 220씩 커집니다.

10 × 9 = 90
20 × 9 = 180
40 × 9 = 360
80 × 9 = 720
160 × 9 = 1440

곱해지는 수가 2배씩 커지면
곱은 2배씩 커집니다.

37 × 3 = 111
37 × 6 = 222
37 × 9 = 333
37 × 12 = 444
37 × 15 = 555

곱하는 수는 3씩 커지고
곱은 111씩 커집니다.

4 × 25 = 100
4 × 50 = 200
4 × 100 = 400
4 × 200 = 800
4 × 400 = 1600

곱하는 수가 2배씩 커지면
곱은 2배씩 커집니다.

곱해지는 수 또는 곱하는 수가 2배씩 커지면 곱도 2배씩 커집니다.

곱해지는 수 × 곱하는 수	곱해지는 수 × 곱하는 수
10 × 5 = 50	5 × 10 = 50
20 × 5 = 100	5 × 20 = 100
40 × 5 = 200	5 × 40 = 200
80 × 5 = 400	5 × 80 = 400

2배씩 커지는 수에 5를 곱하면 곱도 2배씩 커집니다.
(5에 2배씩 커지는 수를 곱하면 곱도 2배씩 커집니다.)

44 교과특강_D3   4주차_곱셈과 나눗셈 규칙 45

46쪽·47쪽

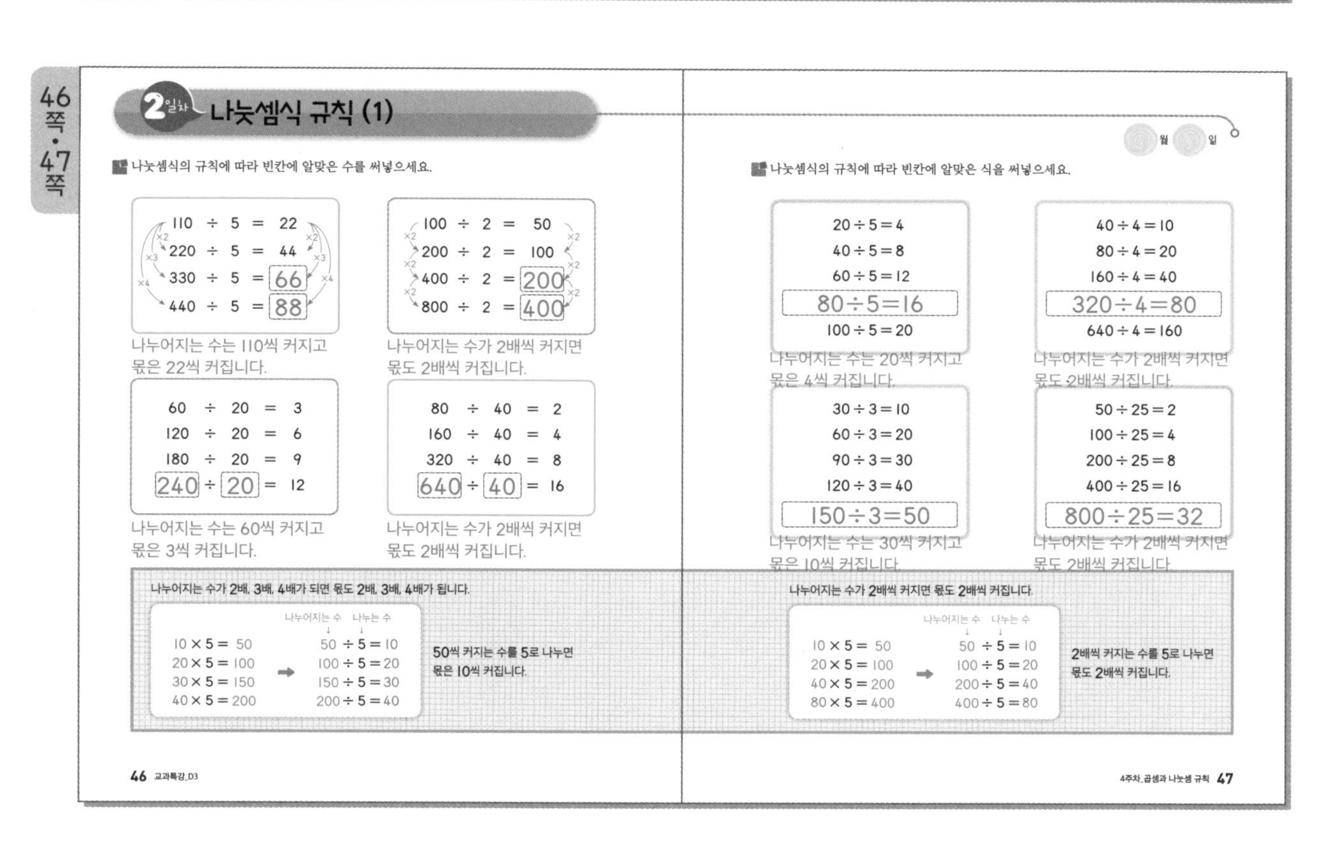

2일차 나눗셈식 규칙 (1)

나눗셈식의 규칙에 따라 빈칸에 알맞은 수를 써넣으세요.

110 ÷ 5 = 22
220 ÷ 5 = 44
330 ÷ 5 = 66
440 ÷ 5 = 88
(×2, ×3, ×4)

나누어지는 수는 110씩 커지고
몫은 22씩 커집니다.

100 ÷ 2 = 50
200 ÷ 2 = 100
400 ÷ 2 = 200
800 ÷ 2 = 400
(×2, ×2, ×2)

나누어지는 수가 2배씩 커지면
몫도 2배씩 커집니다.

60 ÷ 20 = 3
120 ÷ 20 = 6
180 ÷ 20 = 9
240 ÷ 20 = 12

나누어지는 수는 60씩 커지고
몫은 3씩 커집니다.

80 ÷ 40 = 2
160 ÷ 40 = 4
320 ÷ 40 = 8
640 ÷ 40 = 16

나누어지는 수가 2배씩 커지면
몫도 2배씩 커집니다.

나누어지는 수가 2배, 3배, 4배가 되면 몫도 2배, 3배, 4배가 됩니다.

	나누어지는 수 ÷ 나누는 수
10 × 5 = 50	50 ÷ 5 = 10
20 × 5 = 100	100 ÷ 5 = 20
30 × 5 = 150	150 ÷ 5 = 30
40 × 5 = 200	200 ÷ 5 = 40

50씩 커지는 수를 5로 나누면 몫은 10씩 커집니다.

월 일

나눗셈식의 규칙에 따라 빈칸에 알맞은 식을 써넣으세요.

20 ÷ 5 = 4
40 ÷ 5 = 8
60 ÷ 5 = 12
80 ÷ 5 = 16
100 ÷ 5 = 20

나누어지는 수는 20씩 커지고
몫은 4씩 커집니다.

40 ÷ 4 = 10
80 ÷ 4 = 20
160 ÷ 4 = 40
320 ÷ 4 = 80
640 ÷ 4 = 160

나누어지는 수가 2배씩 커지면
몫도 2배씩 커집니다.

30 ÷ 3 = 10
60 ÷ 3 = 20
90 ÷ 3 = 30
120 ÷ 3 = 40
150 ÷ 3 = 50

나누어지는 수는 30씩 커지고
몫은 10씩 커집니다.

50 ÷ 25 = 2
100 ÷ 25 = 4
200 ÷ 25 = 8
400 ÷ 25 = 16
800 ÷ 25 = 32

나누어지는 수가 2배씩 커지면
몫도 2배씩 커집니다.

나누어지는 수가 2배씩 커지면 몫도 2배씩 커집니다.

	나누어지는 수 ÷ 나누는 수
10 × 5 = 50	50 ÷ 5 = 10
20 × 5 = 100	100 ÷ 5 = 20
40 × 5 = 200	200 ÷ 5 = 40
80 × 5 = 400	400 ÷ 5 = 80

2배씩 커지는 수를 5로 나누면 몫도 2배씩 커집니다.

46 교과특강_D3   4주차_곱셈과 나눗셈 규칙 47

정답

48쪽·49쪽

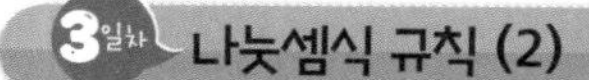

3일차 나눗셈식 규칙 (2)

월 일

■ 나눗셈식의 규칙에 따라 빈칸에 알맞은 수를 써넣으세요.

$50 \div 1 = 50$
$100 \div 2 = 50$
$150 \div 3 = \boxed{50}$
$200 \div 4 = \boxed{50}$

(×2, ×3, ×4)

50씩 커지는 수를 1씩 커지는 수로 나누면 몫은 같습니다.

$80 \div 1 = 80$
$160 \div 2 = 80$
$320 \div 4 = \boxed{80}$
$640 \div 8 = \boxed{80}$

(×2)

2배씩 커지는 수를 2배씩 커지는 수로 나누면 몫은 같습니다.

$220 \div 11 = 20$
$440 \div 22 = 20$
$660 \div 33 = 20$
$\boxed{880} \div 44 = \boxed{20}$

220씩 커지는 수를 11씩 커지는 수로 나누면 몫은 같습니다.

$75 \div 3 = 25$
$150 \div 6 = 25$
$300 \div 12 = 25$
$600 \div \boxed{24} = \boxed{25}$

2배씩 커지는 수를 2배씩 커지는 수로 나누면 몫은 같습니다.

나누어지는 수와 나누는 수가 각각 2배, 3배, 4배가 되면 몫은 같습니다.

		나누어지는 수 ÷ 나누는 수
$10 \times 5 = 50$	➡	$50 \div 10 = 5$
$20 \times 5 = 100$		$100 \div 20 = 5$
$30 \times 5 = 150$		$150 \div 30 = 5$
$40 \times 5 = 200$		$200 \div 40 = 5$

50씩 커지는 수를 10씩 커지는 수로 나누면 몫은 같습니다.

■ 나눗셈식의 규칙에 따라 빈칸에 알맞은 식을 써넣으세요.

$50 \div 2 = 25$
$100 \div 4 = 25$
$150 \div 6 = 25$
$\boxed{200 \div 8 = 25}$
$250 \div 10 = 25$

50씩 커지는 수를 2씩 커지는 수로 나누면 몫은 같습니다.

$40 \div 10 = 4$
$80 \div 20 = 4$
$160 \div 40 = 4$
$\boxed{320 \div 80 = 4}$
$640 \div 160 = 4$

2배씩 커지는 수를 2배씩 커지는 수로 나누면 몫은 같습니다.

$111 \div 1 = 111$
$222 \div 2 = 111$
$333 \div 3 = 111$
$444 \div 4 = 111$
$\boxed{555 \div 5 = 111}$

111씩 커지는 수를 1씩 커지는 수로 나누면 몫은 같습니다.

$30 \div 1 = 30$
$60 \div 2 = 30$
$120 \div 4 = 30$
$240 \div 8 = 30$
$\boxed{480 \div 16 = 30}$

2배씩 커지는 수를 2배씩 커지는 수로 나누면 몫은 같습니다.

나누어지는 수와 나누는 수가 각각 2배씩 커지면 몫은 같습니다.

		나누어지는 수 ÷ 나누는 수
$10 \times 5 = 50$	➡	$50 \div 10 = 5$
$20 \times 5 = 100$		$100 \div 20 = 5$
$40 \times 5 = 200$		$200 \div 40 = 5$
$80 \times 5 = 400$		$400 \div 80 = 5$

2배씩 커지는 수를 2배씩 커지는 수로 나누면 몫은 같습니다.

50쪽·51쪽

4일차 곱셈식 추측하기

월 일

■ 곱셈식의 규칙에 따라 빈칸에 알맞은 식을 써넣으세요.

$1 \times 1 = 1$
$11 \times 11 = 121$
$111 \times 111 = 12321$
$1111 \times 1111 = 1234321$
$\boxed{11111 \times 11111 = 123454321}$

곱해지는 수와 곱하는 수에 1이 하나씩 늘어납니다.
곱은 두 자리씩 늘어나는데 가운데 수가 1씩 커집니다.

$22 \times 1 = 22$
$22 \times 101 = 2222$
$22 \times 10101 = 222222$
$22 \times 1010101 = 22222222$
$\boxed{22 \times 101010101 = 2222222222}$

곱하는 수의 끝자리에 0, 1이 하나씩 늘어납니다.
곱은 2가 두 개씩 늘어납니다.

$12 \times 9 = 108$
$123 \times 9 = 1107$
$1234 \times 9 = 11106$
$12345 \times 9 = 111105$
$\boxed{123456 \times 9 = 1111104}$

곱해지는 수는 12, 123, 1234……로 자릿수가 한 자리씩 늘어납니다.
곱은 앞자리에 1이 하나씩 늘어나고 일의 자리 숫자가 1씩 작아집니다.

■ 물음에 답하세요.

규칙에 따라 계산 결과가 88888887이 되는 곱셈식을 써 보세요.

$9 \times 9 = 81$
$98 \times 9 = 882$
$987 \times 9 = 8883$
$9876 \times 9 = 88884$

($9876543 \times 9 = 88888887$)

곱해지는 수는 9, 98, 987……로 자릿수가 한 자리씩 늘어납니다.
곱은 앞자리에 8이 하나씩 늘어나고 일의 자리 숫자가 1씩 커집니다.

규칙에 따라 계산 결과에서 0이 5번 나오는 곱셈식은 몇째일까요?

첫째	$5 \times 103 = 515$
둘째	$5 \times 1003 = 5015$
셋째	$5 \times 10003 = 50015$
넷째	$5 \times 100003 = 500015$

(여섯째)

곱하는 수와 곱은 각각 가운데에 0이 하나씩 늘어납니다.
계산 결과에서 0은 순서가 나타내는 수보다 1번 적게 나옵니다.
따라서 계산 결과에서 0이 5번 나오는 식은 여섯째입니다.
여섯째: $5 \times 10000003 = 50000015$

52쪽·53쪽

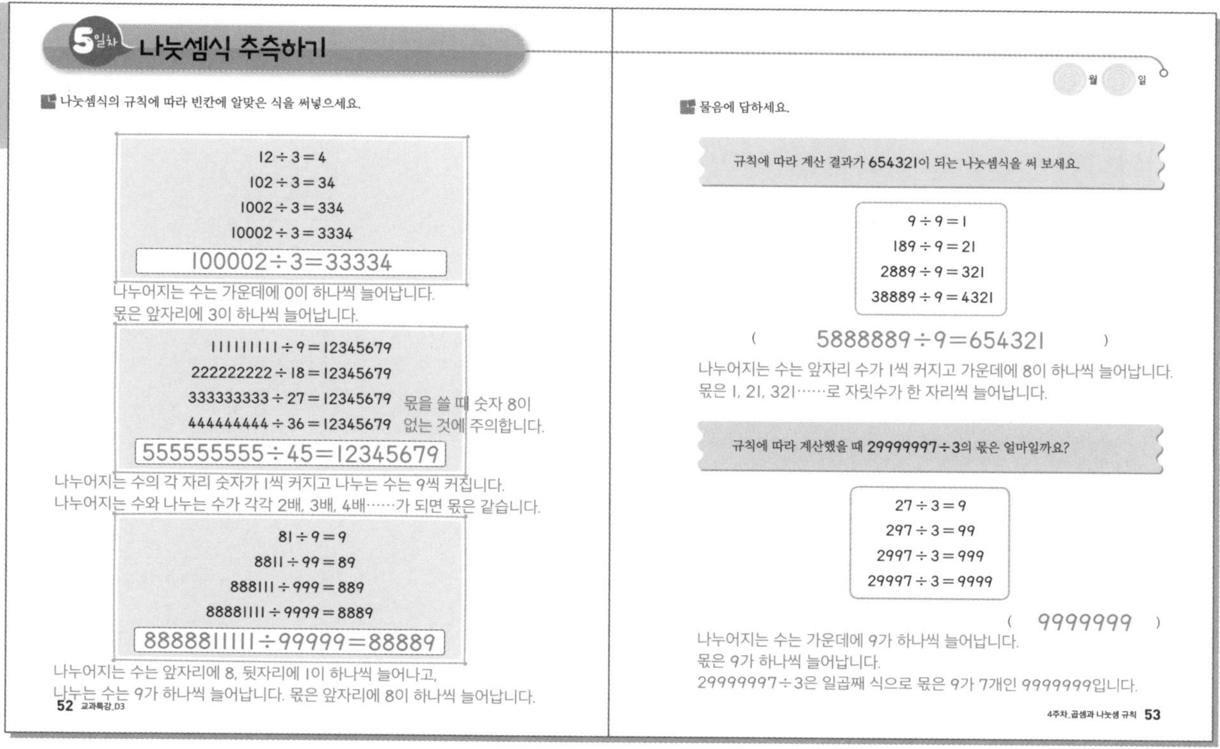

5일차 나눗셈식 추측하기

■ 나눗셈식의 규칙에 따라 빈칸에 알맞은 식을 써넣으세요.

12÷3=4
102÷3=34
1002÷3=334
10002÷3=3334
100002÷3=33334

나누어지는 수는 가운데에 0이 하나씩 늘어납니다.
몫은 앞자리에 3이 하나씩 늘어납니다.

111111111÷9=12345679
222222222÷18=12345679
333333333÷27=12345679
444444444÷36=12345679
555555555÷45=12345679

몫을 쓸 때 숫자 8이 없는 것에 주의합니다.

나누어지는 수의 각 자리 숫자가 1씩 커지고 나누는 수는 9씩 커집니다.
나누어지는 수와 나누는 수가 각각 2배, 3배, 4배……가 되면 몫은 같습니다.

81÷9=9
8811÷99=89
888111÷999=889
88881111÷9999=8889
8888811111÷99999=88889

나누어지는 수는 앞자리에 8, 뒷자리에 1이 하나씩 늘어나고,
나누는 수는 9가 하나씩 늘어납니다. 몫은 앞자리에 8이 하나씩 늘어납니다.

52 교과특강_D3

월 일

■ 물음에 답하세요.

규칙에 따라 계산 결과가 654321이 되는 나눗셈식을 써 보세요.

9÷9=1
189÷9=21
2889÷9=321
38889÷9=4321

(5888889÷9=654321)

나누어지는 수는 앞자리 수가 1씩 커지고 가운데에 8이 하나씩 늘어납니다.
몫은 1, 21, 321……로 자릿수가 한 자리씩 늘어납니다.

규칙에 따라 계산했을 때 29999997÷3의 몫은 얼마일까요?

27÷3=9
297÷3=99
2997÷3=999
29997÷3=9999

(9999999)

나누어지는 수는 가운데에 9가 하나씩 늘어납니다.
몫은 9가 하나씩 늘어납니다.
29999997÷3은 일곱째 식으로 몫은 9가 7개인 9999999입니다.

4주차_곱셈과 나눗셈 규칙 53

54쪽

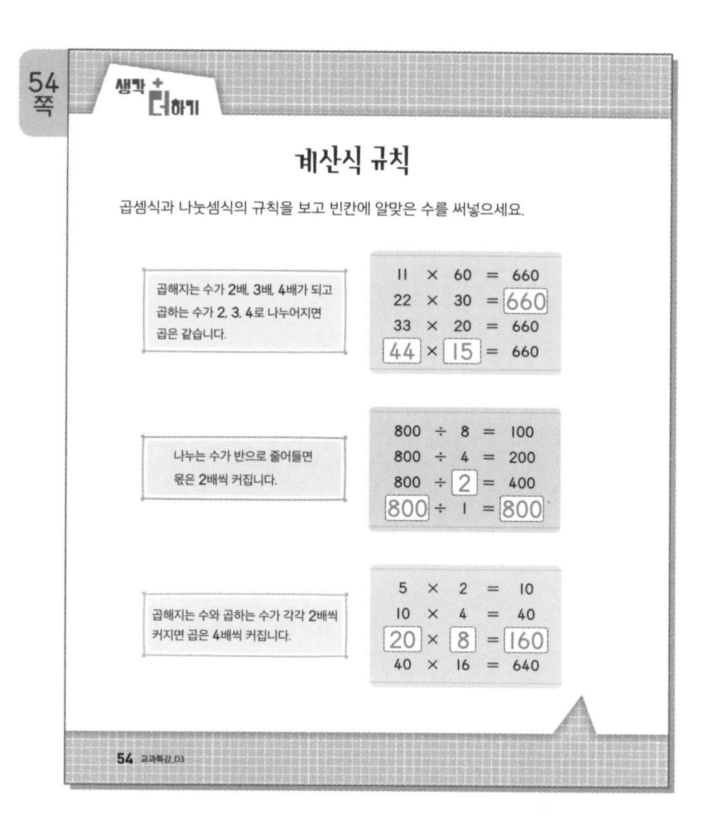

생각 + 더하기

계산식 규칙

곱셈식과 나눗셈식의 규칙을 보고 빈칸에 알맞은 수를 써넣으세요.

곱해지는 수가 2배, 3배, 4배가 되고 곱하는 수가 2, 3, 4로 나누어지면 곱은 같습니다.

11 × 60 = 660
22 × 30 = 660
33 × 20 = 660
44 × 15 = 660

나누는 수가 반으로 줄어들면 몫은 2배씩 커집니다.

800 ÷ 8 = 100
800 ÷ 4 = 200
800 ÷ 2 = 400
800 ÷ 1 = 800

곱해지는 수와 곱하는 수가 각각 2배씩 커지면 곱은 4배씩 커집니다.

5 × 2 = 10
10 × 4 = 40
20 × 8 = 160
40 × 16 = 640

54 교과특강_D3

정답

링크: 계산식 만들기

56쪽·57쪽

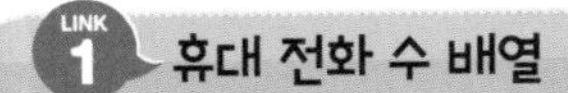

색칠된 부분에서 규칙적인 계산식을 찾아 빈칸에 알맞은 수를 써넣으세요.

1	2	3
4	5	6
7	8	9
*	0	#

2 + 1 = 3
5 + 1 = 6
8 + 1 = 9

1	2	3
4	5	6
7	8	9
*	0	#

7 − 6 = 1
8 − 6 = 2
9 − 6 = 3

1	2	3
4	5	6
7	8	9
*	0	#

8 − 4 = 4
9 − 5 = 4

1	2	3
4	5	6
7	8	9
*	0	#

7 − 5 = 2
8 − 5 = 3

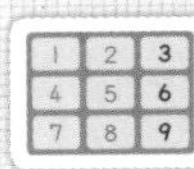

1	2	3
4	5	6
7	8	9

① → 방향으로 1씩 커지고, ← 방향으로 1씩 작아집니다.
(1+1=2, 4+1=5, 7+1=8)
② ↘ 방향으로 4씩 커지고, ↖ 방향으로 4씩 작아집니다.
(5−1=4, 8−4=4)

1	2	3
4	5	6
7	8	9

③ ↓ 방향으로 3씩 커지고, ↑ 방향으로 3씩 작아집니다.
(1+3=4, 2+3=5, 3+3=6)
④ ↙ 방향으로 2씩 커지고, ↗ 방향으로 2씩 작아집니다.
(4−2=2, 5−3=2)

1	2	3
4	5	6
7	8	9

⑤ 가운데 수에서 반대 방향으로 같은 칸 수만큼 간 곳에 있는 두 수의 합은 가운데 수의 2배입니다.
(4+6=5×2, 2+8=5×2)

월 일

수 배열에서 규칙적인 계산식을 찾아 빈칸에 알맞은 수 또는 식을 써넣으세요.

1	2	3
4	5	6
7	8	9
*	0	#

2 − 1 = 3 − 2
5 − 4 = 6 − 5
8 − 7 = 9 − 8

1 + 3 = 2 × 2
4 + 6 = 5 × 2
7 + 9 = 8 × 2

1 + 1 = 3 − 1
4 + 1 = 6 − 1
7 + 1 = 9 − 1

1 + 2 + 3 = 2 × 3
4 + 5 + 6 = 5 × 3
7 + 8 + 9 = 8 × 3

7 − 4 = 4 − 1
8 − 5 = 5 − 2
9−6=6−3

1 + 4 + 7 = 4 × 3
2 + 5 + 8 = 5 × 3
3+6+9=6×3

58쪽·59쪽

LINK 2 달력 수 배열

색칠된 부분에서 규칙적인 계산식을 찾아 빈칸에 알맞은 수를 써넣으세요.

일	월	화	수	목	금	토
1	2	3	4	5	6	7
8	9	10	11	12	13	14
15	16	17	18	19	20	21
22	23	24	25	26	27	28
29	30					

5 − 3 = 6 − 4
12 − 10 = 13 − 11
19 − 17 = 20 − 18

일	월	화	수	목	금	토
1	2	3	4	5	6	7
8	9	10	11	12	13	14
15	16	17	18	19	20	21
22	23	24	25	26	27	28
29	30					

9 + 16 + 23 = 16 × 3
10 + 17 + 24 = 17 × 3
11 + 18 + 25 = 18 × 3

일	월	화	수	목	금	토
				1	2	3
4	5	6	7	8	9	10
11	12	13	14	15	16	17
18	19	20	21	22	23	24
25	26	27	28	29	30	31

① → 방향으로 1씩 커지고, ← 방향으로 1씩 작아집니다. (5−4=6−5)
② ↓ 방향으로 7씩 커지고, ↑ 방향으로 7씩 작아집니다. (11−4=18−11)
③ ↘ 방향으로 8씩 커지고, ↖ 방향으로 8씩 작아집니다. (12−4=13−5)
④ ↙ 방향으로 6씩 커지고, ↗ 방향으로 6씩 작아집니다. (12−6=18−12)
⑤ 가운데 수에서 반대 방향으로 같은 칸 수만큼 간 곳에 있는 두 수의 합은 가운데 수의 2배입니다. (4+20=12×2, 4+8=5+7=6×2)

월 일

수 배열에서 규칙적인 계산식을 찾아 빈칸에 알맞은 수 또는 식을 써넣으세요.

일	월	화	수	목	금	토
		1	2	3	4	5
6	7	8	9	10	11	12
13	14	15	16	17	18	19
20	21	22	23	24	25	26
27	28	29	30	31		

7 − 1 = 13 − 7
8 − 2 = 14 − 8
9 − 3 = 15 − 9

1 + 4 = 2 + 3
8 + 11 = 9 + 10
15 + 18 = 16 + 17

9 + 11 = 10 × 2
16 + 18 = 17 × 2
23 + 25 = 24 × 2

1 + 9 = 2 + 8
2 + 10 = 3 + 9
3 + 11 = 4 + 10

15 − 8 = 8 − 1
16 − 9 = 9 − 2
17−10=10−3

8 + 14 + 20 = 14 × 3
9 + 15 + 21 = 15 × 3
10+16+22=16×3

60쪽 · 61쪽

LINK 3 수 배열표와 식

색칠된 부분에서 규칙적인 계산식을 찾아 빈칸에 알맞은 식을 써넣으세요.

21	22	23	24	25
31	32	33	34	35
41	42	43	44	45
51	52	53	54	55

$31 + 10 = 41$

$32 + 10 = 42$

$33+10=43$

$34 + 10 = 44$

$42 - 11 = 31$

$43 - 11 = 32$

$44-11=33$

$45 - 11 = 34$

61	62	63	64	65
71	72	73	74	75
81	82	83	84	85
91	92	93	94	95

$61 + 91 = 71 + 81$

$62 + 92 = 72 + 82$

$63 + 93 = 73 + 83$

$64+94=74+84$

$71 - 61 = 91 - 81$

$72 - 62 = 92 - 82$

$73 - 63 = 93 - 83$

$74-64=94-84$

월 일

수 배열에서 규칙적인 계산식을 찾아 빈칸에 알맞은 수를 써넣으세요.

501	502	503	504	505
401	402	403	404	405
301	302	303	304	305
201	202	203	204	205
101	102	103	104	105

$303 + 202 + 204 + 103 = 203 \times 4$

$101 + 301 + 501 = 301 \times 3$

$501 + 402 + 303 = 402 \times 3$

$101 + 103 + 105 = 103 \times 3$

$301 + 303 + 101 + 103 = 202 \times 4$

$403 + 302 + 303 + 304 + 203 = 303 \times 5$

60 교과특강_D3

링크_계산식 만들기 61

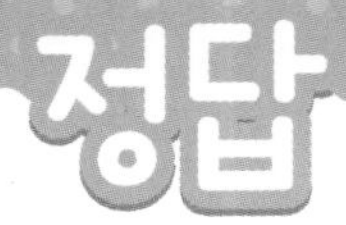

형성평가

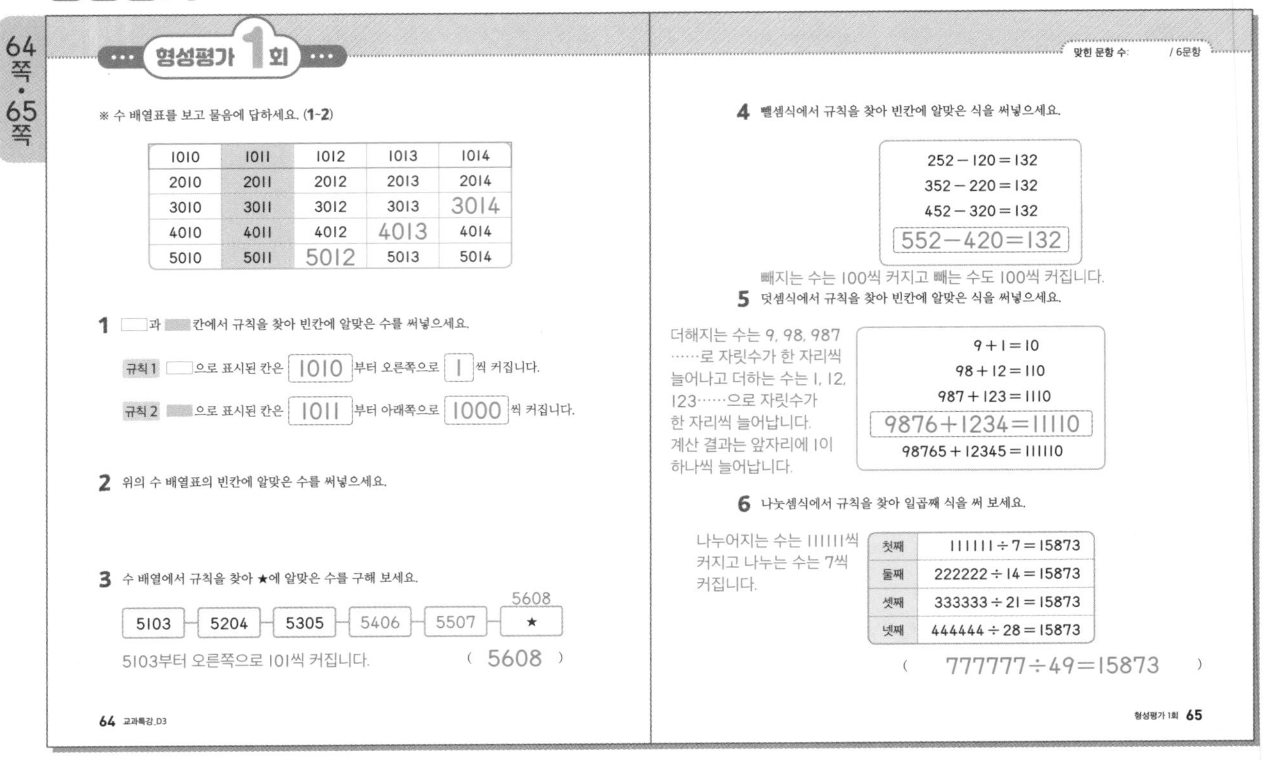

64쪽 · 65쪽

형성평가 1회

맞힌 문항 수: / 6문항

※ 수 배열표를 보고 물음에 답하세요. (1~2)

1010	1011	1012	1013	1014
2010	2011	2012	2013	2014
3010	3011	3012	3013	3014
4010	4011	4012	4013	4014
5010	5011	5012	5013	5014

1 □과 ■ 칸에서 규칙을 찾아 빈칸에 알맞은 수를 써넣으세요.

규칙 1 □으로 표시된 칸은 1010 부터 오른쪽으로 1 씩 커집니다.

규칙 2 ■으로 표시된 칸은 1011 부터 아래쪽으로 1000 씩 커집니다.

2 위의 수 배열표의 빈칸에 알맞은 수를 써넣으세요.

3 수 배열에서 규칙을 찾아 ★에 알맞은 수를 구해 보세요.

5103 — 5204 — 5305 — 5406 — 5507 — ★(5608)

5103부터 오른쪽으로 101씩 커집니다. (5608)

64 교과특강_D3

4 뺄셈식에서 규칙을 찾아 빈칸에 알맞은 식을 써넣으세요.

252 − 120 = 132
352 − 220 = 132
452 − 320 = 132
552−420=132

빼지는 수는 100씩 커지고 빼는 수도 100씩 커집니다.

5 덧셈식에서 규칙을 찾아 빈칸에 알맞은 식을 써넣으세요.

9 + 1 = 10
98 + 12 = 110
987 + 123 = 1110
9876+1234=11110
98765 + 12345 = 111110

더해지는 수는 9, 98, 987……로 자릿수가 한 자리씩 늘어나고 더하는 수는 1, 12, 123……으로 자릿수가 한 자리씩 늘어납니다. 계산 결과는 앞자리에 1이 하나씩 늘어납니다.

6 나눗셈식에서 규칙을 찾아 일곱째 식을 써 보세요.

첫째	111111 ÷ 7 = 15873
둘째	222222 ÷ 14 = 15873
셋째	333333 ÷ 21 = 15873
넷째	444444 ÷ 28 = 15873

나누어지는 수는 111111씩 커지고 나누는 수는 7씩 커집니다.

(777777÷49=15873)

형성평가 1회 65

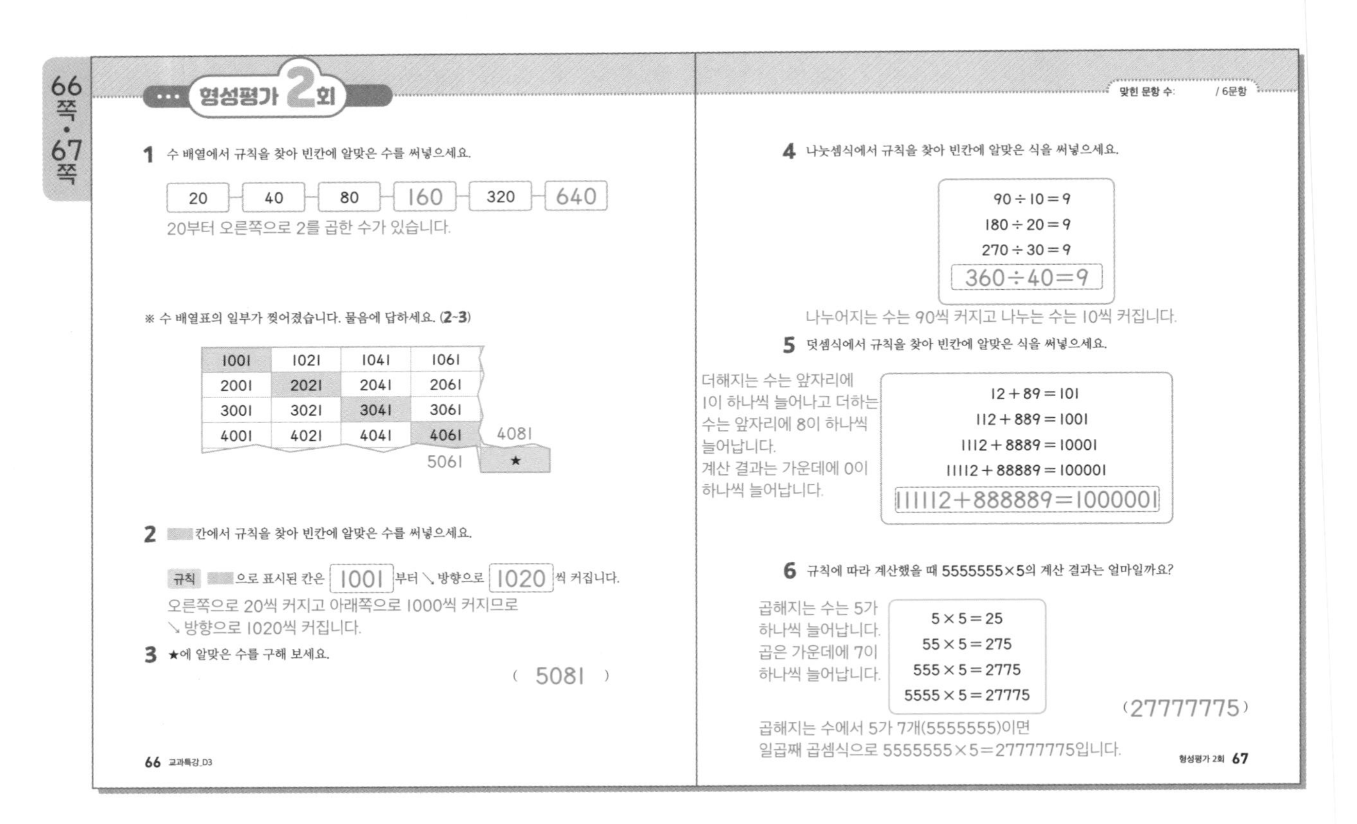

66쪽 · 67쪽

형성평가 2회

맞힌 문항 수: / 6문항

1 수 배열에서 규칙을 찾아 빈칸에 알맞은 수를 써넣으세요.

20 — 40 — 80 — 160 — 320 — 640

20부터 오른쪽으로 2를 곱한 수가 있습니다.

※ 수 배열표의 일부가 찢어졌습니다. 물음에 답하세요. (2~3)

1001	1021	1041	1061
2001	2021	2041	2061
3001	3021	3041	3061
4001	4021	4041	4061

4081, 5061, ★

2 ■ 칸에서 규칙을 찾아 빈칸에 알맞은 수를 써넣으세요.

규칙 ■으로 표시된 칸은 1001 부터 ↘ 방향으로 1020 씩 커집니다.

오른쪽으로 20씩 커지고 아래쪽으로 1000씩 커지므로 ↘ 방향으로 1020씩 커집니다.

3 ★에 알맞은 수를 구해 보세요.

(5081)

66 교과특강_D3

4 나눗셈식에서 규칙을 찾아 빈칸에 알맞은 식을 써넣으세요.

90 ÷ 10 = 9
180 ÷ 20 = 9
270 ÷ 30 = 9
360÷40=9

나누어지는 수는 90씩 커지고 나누는 수는 10씩 커집니다.

5 덧셈식에서 규칙을 찾아 빈칸에 알맞은 식을 써넣으세요.

12 + 89 = 101
112 + 889 = 1001
1112 + 8889 = 10001
11112 + 88889 = 100001
111112+888889=1000001

더해지는 수는 앞자리에 1이 하나씩 늘어나고 더하는 수는 앞자리에 8이 하나씩 늘어납니다. 계산 결과는 가운데에 0이 하나씩 늘어납니다.

6 규칙에 따라 계산했을 때 5555555×5의 계산 결과는 얼마일까요?

5 × 5 = 25
55 × 5 = 275
555 × 5 = 2775
5555 × 5 = 27775

곱해지는 수는 5가 하나씩 늘어납니다. 곱은 가운데에 7이 하나씩 늘어납니다.

(27777775)

곱해지는 수에서 5가 7개(5555555)이면 일곱째 곱셈식으로 5555555×5=27777775입니다.

형성평가 2회 67

초등 수학 핵심파트 집중 완성 교과특강

"교과수학을 완성합니다."

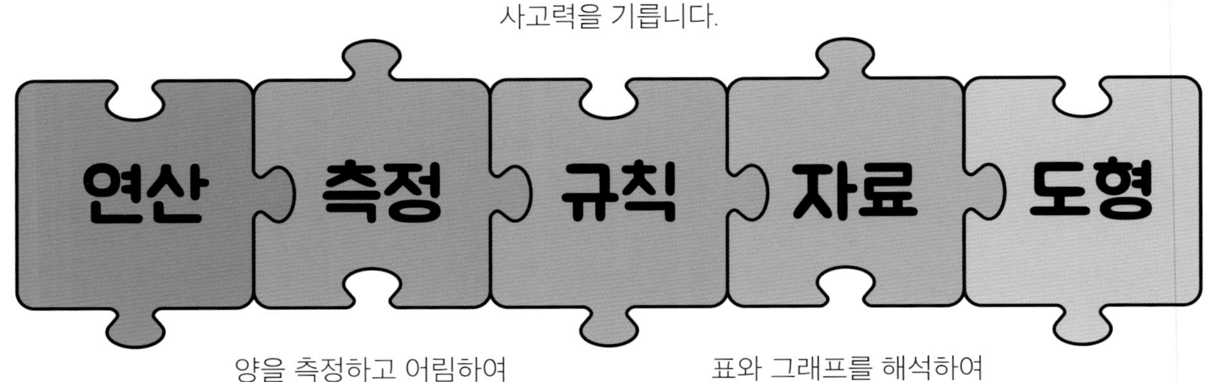
수와 도형의 배열에서 규칙을 찾아
사고력을 기릅니다.
연산
측정
규칙
자료
도형
양을 측정하고 어림하여
실생활의 수 감각을 기릅니다.
표와 그래프를 해석하여
추론능력을 기릅니다.